Christa König

Als ich noch Gretchen Asmussen hieß

Illustriert von
Arnhild Johne

Loewe

CIP-Kurztitelaufnahme der Deutschen Bibliothek

König, Christa:
Als ich noch Gretchen Asmussen hieß /
Christa König. – 3. Aufl. –
Bindlach: Loewe, 1987.
ISBN 3 7855 1987 7

ISBN 3 7855 1987 7 – 3. Auflage 1987
© 1984 by Loewes Verlag, Bindlach
Umschlaggestaltung: Arnhild Johne und Claudia Böhmer
Satz: Leingärtner, Nabburg
Gesamtherstellung: Tagblatt-Druckerei, Haßfurt
Printed in Germany

1. Kapitel

Als ich noch Gretchen Asmussen hieß, wohnten wir in einem großen Haus in Hamburg an der Außenalster. Das war zu der Zeit, als alle Leute, die etwas auf sich hielten (und das waren die allermeisten), nie ohne Hut ausgingen, weder Erwachsene noch Kinder, weder winters noch sommers. Ein anderer sehr wichtiger Unterschied zur heutigen Zeit bestand darin, daß es noch keine Plastiktüten gab. Die Leute konnten erstaunlicherweise trotzdem ihre Einkäufe und alles mögliche herumtragen, denn sie hatten die schönsten Körbe, Turnbeutel und Reisetaschen. Und wenn Sauerkraut geholt werden mußte, ging man mit einer Schüssel los.

Es gab auch noch keine Flugzeuge, Radios, Comic-Hefte, Jeans, Coca-Cola; der Teddybär war eben erst erfunden, und nach den wenigen Autos und Fahrrädern, die schon in Betrieb waren, sahen sich die Leute auf der Straße um.

Wenn man von einem Fleck zum andern wollte, ging man zu Fuß. In Hamburg konnte man auch mit der Straßenbahn fahren oder aber mit dem Alsterdampfer. Wenn man es bezahlen konnte, nahm man eine Droschke. Über Land ging es mit der Eisenbahn, über See mit dem Schiff. So kamen die Leute auch schon dahin, wohin sie wollten, als ich noch Gretchen Asmussen hieß.

Meine Geschichte ist eigentlich Dorchens Geschichte. Dorchen war meine nächstältere Schwester. Als meine Geschichte anfing, war Dorchen elf Jahre alt und ich neun. Elisabeth und Magda, die Zwillinge, waren fünfzehn, meine älteste Schwester Anna schon zwanzig.

Die Geschichte beginnt einen Tag vor Heiligabend, als das Pferd vor unserm Haus stürzte. Es hatte schon eine Menge Schnee gegeben in diesem Dezember, und die

Fahrstraßen waren spiegelglatt. Ich stand am frühen Nachmittag hinter unserm Gartentor und guckte, wer so alles die Straße entlangkam und ob Krischan Kröger vielleicht unsere neuen Schürzen brachte, die seine Mutter uns für Weihnachten genäht hatte. Da fuhr ein Wagen, mit Kohlensäcken beladen, von der Alster her die Straße herauf. Die beiden schweren Holsteiner Pferde bliesen weiße Atemwolken, wie sie sich so in die Geschirre stemmten. Plötzlich strauchelte das eine Pferd; die hinteren Hufe glitschten aus, und es brach halb zusammen. Das zweite Pferd erschreckte sich, weil es nicht mehr weiterging, und fing auch schon an, den Halt unter den Füßen zu verlieren. Der Kutscher und sein Begleiter sprangen vom Wagen, und beide versuchten, dem gestürzten Pferd wieder hochzuhelfen.

Ach, das war kein schöner Anblick. Als das Pferd nicht gleich aufstehen konnte, weil ihm seine Vorderhufe nun auch immer wieder wegrutschten, schrien die beiden Männer aus Leibeskräften und rissen an ihm herum. Dann fingen sie an, es mit der Peitsche zu schlagen, sogar mit dem Peitschenstiel, so daß das arme Tier mit angstvoll rollenden Augen und weißem Schaum um das Maul sich entsetzlich anstrengte, auf die Beine zu kommen.

Es hatte sich schon eine kleine Menschenmenge um den Wagen versammelt, und ich war auf dem Eisengitter ein Stück hochgestiegen, um zwischen den Köpfen hindurchsehen zu können. Harry, der Sohn unserer Nachbarn, stand auch auf der Straße. Und als die Männer wieder einmal versuchten, das Pferd am Kopf hochzuzerren, sah ich, wie Harry mit seinem schwarzen, genagelten Winterstiefel das gestürzte Pferd in die Seite trat. Zum Spaß und aus Schadenfreude. Zweimal trat er zu, und das Pferd zuckte, denn es tat ihm weh. Später kamen dann die Kohlenmänner auf den guten Gedanken, ein paar leere Säcke auf dem vereisten Pflaster auszubreiten und dem Tier unterzuschieben. So kam es endlich wieder auf, der schwere Wagen wurde weitergezogen, und die Zuschauer verliefen sich.

Der böse Harry von nebenan war auch verschwunden, ehe ich ihm meine Meinung sagen konnte. Ich rannte den Weg hinauf und durch den Kücheneingang in den unteren Hausflur. Ich wollte natürlich schleunigst nach oben zu Dorchen, um ihr alles zu erzählen, aber bevor ich die Treppe erreicht hatte, fing mich wer am Schürzenband.

„Halt, Stiefel ausziehen, Hausschuhe an", sagte Rosa, unser Stubenmädchen. Ich hockte mich auf die unterste Stufe und zog die Schnürbänder heraus. Ich haßte meine Stiefel! Neun Paar Löcher hatte jeder; aus sechsen mußte ich die Schnürbänder ziehen, wenn ich herauswollte. Das ging ja noch einigermaßen schnell. Schlimmer war das Anziehen, wenn die Schnürsenkel wieder eingefädelt werden mußten.

Dorchen und ich hatten unser Zimmer im zweiten Stock. Viel höher war das Haus dann nicht mehr, weiter oben gab es nur noch Kammern und den Wäscheboden.

Das Zimmer schien leer, als ich die Tür aufmachte, aber eine Stimme sagte laut und hell:

„Gehst du ins offne Wasser vor,
so legt dein Boot sich auf die Seite
und richtet nimmer sich empor."

Ich wunderte mich überhaupt nicht. Dorchen lernte auswendig, und dazu saß sie auf dem Schrank. Sie thronte schön in der Mitte wie gewöhnlich; ihre Beine in den langen schwarzen Wollstrümpfen baumelten, ihre Filzschuhe lagen unten. Sie trug dasselbe wie ich: ein braunweiß kariertes wollenes Kleid und eine graue Schürze darüber.

Inzwischen sprach Dorchen:

9

„Siehst du die Brigg dort auf den Wellen?
Sie steuert falsch, sie treibt herein . . .
sie treibt herein . . .
sie treibt herein . . .“

„Was lernst du eigentlich?“ fragte ich.

„Dumme Frage. Mein Weihnachtsgedicht.“

„Aber da kommt doch gar nichts von Weihnachten vor! Wie heißt denn das Gedicht?“

„Der Lotse“, antwortete Dorchen.

Als Hamburger Kind weiß man, was ein Lotse ist, auch als Mädchen von neun Jahren.

„Hör mal das Ende“, sagte Dorchen, nahm ein Buch auf und las:

„Vor fliegendem Sturme gleich dem Pfeile
hin durch die Schären eilt das Boot.
Jetzt schießt es aus dem Klippenrande.
‚Links müßt ihr steuern!‘ hallt ein Schrei.
Kieloben treibt das Boot zu Lande,
und sicher fährt die Brigg vorbei.“

„Aber das ist doch kein Weihnachtsgedicht!“ wiederholte ich vorwurfsvoll.

„Ach was“, rief Dorchen und schlug mit ihren schwarzen Wollbeinen gegen den Schrank, „es paßt sehr gut als Weihnachtsgedicht, denn ich kriege ein Boot geschenkt, und das Gedicht ist auch von einem Boot. ‚Vor fliegendem Sturme gleich dem Pfeile hin durch die Schären eilt das Boot.‘“

„Aber zum Schluß kentert das Boot.“

„Ach, du doofe Nuß“, schimpfte Dorchen, „du willst mir bloß den Spaß verderben.“

Natürlich meinte sie es nicht böse. Ich erzählte ihr von dem Pferd auf der Straße und wie Harry es getreten hatte. Das regte sie so auf, daß sie flink wie ein Affe über die Lehne des alten Ohrensessels vom Schrank herunterkam.

„Du lügst wieder", fuhr sie mich an. „Immer machst du Harry schlecht, warum machst du das?"

Ihre blauen Augen funkelten. Außer mir hatten alle in unserer Familie blaue Augen, und zwar hellblaue; nur mein Vater und Dorchen hatten dunkelblaue. (Ich habe merkwürdigerweise grüne Augen.) Diese Wutanfälle oder Zornesausbrüche, die hatten auch nur mein Vater und Dorchen. Dann konnte man sich richtig vor ihnen fürchten.

Trotzdem sagte ich: „Harry ist kein netter Junge. Auch wenn du mich haust." Denn ich sah immer noch den Nagelstiefel und den braunen Pferdebauch, wie er zuckte.

Jetzt steckte aber Klara, unser zweites Mädchen, den Kopf ins Zimmer.

„Die Großmama wartet mit dem Tee", sagte sie.

Um den Vorplatz herum lagen fünf Zimmer. Eines davon gehörte uns, zwei bewohnte die Großmama, eins die beiden Stubenmädchen. Das fünfte war die Plättstube, in der auch die Nähmaschine stand.

Großmamas Zimmer war bei weitem das schönste im ganzen Haus. Unten im Erdgeschoß hatten wir den Salon und das Speisezimmer und das Herrenzimmer. Da war es furchtbar elegant mit viel schwarzem, geschnitztem Holz und roten Seidenvorhängen an den Fenstern und Türen. Im Winter fröstelte man in den hohen Zimmern, auch wenn alle Öfen geheizt waren. Nie wären Dorchen und ich etwa auf die Idee gekommen, da unten zu spielen! Ausgenommen zwei Tage im Jahr, den ersten und zweiten Weihnachtstag, solange die neuen Spielsachen noch unten aufgebaut sein mußten.

In Großmamas Wohnzimmer war es warm und gemütlich. Sie saß auf ihrem grünen Sofa vor dem ovalen Tisch, und neben ihr standen auf einem runden Tablett das weiß-blaue englische Teegeschirr und ein Teller mit Butterbrot. Die Großmama trug ihr graues Wollkleid und eine graue Haube aus Spitzen und Seidenband. Sie war hübsch mit ihrem rosa Gesicht und weißen Haaren, klein, zierlich und lebhaft. Aber sie konnte gar nicht gut laufen wegen ihres Rheumas. So saß sie oben im zweiten Stock auf ihrem Sofa neben dem großen grünen Kachelofen und ließ sich besuchen.

Dorchen und ich kamen am häufigsten, wir wohnten ja auch nebenan. Wir kamen täglich zum Tee und sonst noch aus allen möglichen Gründen. Zum Beispiel hörte Großmama uns immer ab, was wir auswendig lernen mußten, und das war viel. Eigentlich mußten wir jeden Tag irgend etwas auswendig lernen.

„Großmama", rief Dorchen, kaum daß sie die Tür aufgerissen hatte, „kriege ich ein Boot?"

„Jeder Mensch kriegt, was ihm bestimmt ist", antwortete die Großmama, „und wenn du immer so auf mich einbrüllst, kriege ich nächstens Rheuma in den Ohren."

So redete sie. Sie sagte nur, was *sie* wollte, nicht was *wir* wollten, und dann mußte man doch darüber lachen.

Wir nahmen unsere Teetassen und unser Butterbrot, auf das wir uns Erdbeermarmelade schmieren durften. Ich erzählte von dem armen Pferd und von Harry. Dorchen ärgerte sich, aber ich wollte, daß Großmama ihre Meinung über Harry äußerte, die galt mehr als meine Meinung. Was sie sagte, enttäuschte mich.

„So sind Jungen manchmal", sagte sie bloß.

Erst lachte sie darüber, daß Dorchen sich so ein merkwürdiges Weihnachtsgedicht ausgesucht hatte. Dann meinte sie: „Das Gedicht handelt von einer Heldentat. Einer opfert sein Leben, um viele andere zu retten. So schlecht paßt das Gedicht gar nicht zu Weihnachten."

Dann hörte sie mir mein Gedicht ab. Ich hatte „Markt und Straßen stehn verlassen" gelernt. Die ganze Zeit über brannten vier rote Kerzen auf dem Adventskranz, der an einem Ständer hing. Wir sangen alle drei: „Morgen, Kinder, wird's was geben", denn schließlich war es der einzige Tag im Jahr, an dem man dieses Lied singen kann.

13

Wir waren noch nicht ganz fertig, da machte Klara die Tür auf und sagte, als wir still waren: „Hier ist Krischan. Er hat die Schürzen gebracht."

„Komm rein, Krischan", rief die Großmama. „Klärchen, bring uns noch Butterbrot und eine Tasse."

Krischan Kröger gehörte auch so halb zur Familie. Seine Mutter war Hausschneiderin und arbeitete jeden zweiten Mittwoch bei uns. Sie nähte unsere Kleider und unsere vielen Schürzen, auch unsere Hemden, Hosen, Leibchen und Unterröcke. Sie saß dann oben in der Plättstube, und mittags nach der Schule kam Krischan, aß mit uns und seiner Mutter und blieb bis abends, wenn sie fertig war. Krischan war zwölf und besuchte das Gymnasium. Daß mein Vater ihm das Schulgeld und die Bücher bezahlte, erfuhren wir erst viel später. Es war nämlich damals für eine alleinstehende Schneiderin kaum möglich, ihren Sohn aufs Gymnasium zu schicken.

Krischan war unser richtiger Freund, Dorchens und meiner. Er war, glaube ich, ziemlich häßlich. Er hatte rötliche Haare, abstehende Ohren, und sein Gesicht wimmelte von Sommersprossen. Seine großen roten Hände trugen ständig Tintenflecke, und manchmal war auch sein Mund blau verschmiert, wenn er direkt von der Schule zu uns kam. Er war übrigens nicht ungeschickt, sondern nur eifrig; und wenn er schrieb, vergaß er wahrscheinlich alles andere, auch daß er Hände, Gesicht und Haare hatte, so kam die Tinte überallhin. In seinen Heften war nie ein einziger Klecks!

Wir sahen uns die Schürzen an, die er gebracht hatte, während er Tee trank und Butterbrot aß. Weiße Festtagsschürzen, hinten geknöpft wie die andern, aber mit Weißstickerei um den Saum und um die Schultern.

Ich spürte einen wohligen Schauer im Bauch und auf dem Rücken. „Wenn ich die Schürze anziehe, klingelt es gleich, und wir dürfen ins Weihnachtszimmer", dachte ich. „Und dann . . .!"

14

„Ob du dein Boot kriegst?" fragte Krischan Dorchen.

Hinter den Gärten floß der Kanal, der im Augenblick zugefroren war. Es gibt mehrere solcher Kanäle in dieser Gegend, sie münden in die Alster, die sich mitten in Hamburg ausbreitet wie ein großer See. Alle Leute, deren Garten an so einen Kanal grenzte, hatten einen kleinen Bootssteg und ein Boot. Vor allem die jungen Leute benutzten diese Boote, um Vergnügungsfahrten zu machen, im Sommer vor das Uhlenhorster Fährhaus zu rudern und das Feuerwerk zu sehen, das jeden Sonnabendabend dort abgebrannt wurde.

Wir hatten auch ein Boot, das gehörte den Zwillingen, Lisa und Magda, doch sie nahmen uns selten mit. Sie wollten miteinander kichern und Freundinnen oder sogar Jungen treffen, die auch mit dem Boot unterwegs waren.

Aber nicht nach diesen Ausflügen hatte Dorchen solches Verlangen, sondern einfach nach dem Gefühl, auf dem Wasser zu fahren. Denn meine Schwester Dorchen war eine merkwürdige Person. Sie fand das Leben erst wirklich schön, wenn sie sich in irgendeiner Weise vom Erdboden gelöst hatte. In unserm Zimmer saß sie am liebsten auf dem Schrank. Im Sommer kletterte sie jeden Nachmittag auf die große Buche im Garten, und zwar so hoch, wie ich mich nie getraut hätte. Sie konnte herrlich Schlittschuh laufen, wie ein Seevogel, der über die Wasserfläche gleitet. In dem Boot wollte sie auf dem Wasser treiben, schaukeln, schweben . . .

„Ich habe ja noch zwei andere Sachen auf meinen Wunschzettel geschrieben", erklärte Dorchen. „Wenn ich das Boot nicht haben kann, dann möchte ich ein Pferd. Und wenn ich das Pferd auch nicht haben kann, dann möchte ich ein Fahrrad."

„Ach du allerliebste Güte", rief die Großmama und schlug die Hände zusammen. „Das Kind will ein Velo. Glaubst du, da können Kinder überhaupt mit fahren? Dann doch lieber ein Pferd."

Krischan betrachtete Dorchen mit Bewunderung, wie immer. „Man kann auch schon durch die Luft fliegen!" sagte er. „Lilienthal ist vor zehn Jahren schon geflogen, und vor drei Jahren oder so zwei Amerikaner."

Von da an drehte sich die Unterhaltung nur noch ums Durch-die-Luft-Fliegen, und Dorchen wurde immer aufgeregter.

Schließlich forderte mich die Großmama auf, mein neuestes Bild vorzuzeigen. Das war nun *meine* Leidenschaft. Ich malte und zeichnete jeden Tag, und die Großmama oder Klärchen oder die Mutter mußten raten, was es vorstellen sollte.

Auf meinem heutigen Bild sah man einen Weihnachtsbaum und davor zwei Gegenstände: ein Boot und ein kompliziertes Etwas.

„Ein Fleischwolf", riet die Großmama. „Es hat eine Kurbel."

„Eine Art Telephon", riet Krischan.

„Eine Flugmaschine", rief Dorchen, die gar nicht genau hinguckte.

„Eine Nähmaschine", sagte ich. „Für Puppenkleider."

Das war der Tag vor Heiligabend.

Kurz vor fünf am nächsten Nachmittag saßen Dorchen und ich in unsern dunkelgrünen Sonntagskleidern und den neuen Schürzen auf der Treppe zwischen dem ersten Stock und dem Erdgeschoß. Die Großmama war schon früher hinuntergegangen, auch Anna, unsere älteste Schwester. Sie saßen mit Herrn Uhl im Eßzimmer. Herr Uhl wollte Anna heiraten. Lisa und Magda warteten in ihrem Zimmer bei angelehnter Tür. Onkel Carl und die Großeltern Neander waren auch schon gekommen. Die große weiße Tür zum Salon blieb noch fest geschlossen.

„Ob sie das Boot wirklich unter den Weihnachtsbaum gelegt haben?" flüsterte Dorchen. „Auf den guten Teppich?"

„Es würde ja viel Platz wegnehmen", sagte ich. „Vielleicht liegt es in der Veranda. Oder unten im Flur."

Das Glöckchen läutete, in der Halle vor der Salontür versammelten sich Onkel Carl, Anna mit ihrem Herrn Uhl, wir beide vor Aufregung Hand in Hand und Lisa und Magda, die wieder kicherten. Wahrscheinlich kicherten sie über Herrn Uhl, der Anna anlächelte, oder über gar nichts.

Die Tür ging auf, und das Weihnachtszimmer strahlte und duftete, wie es sich gehört. Man kann es gar nicht beschreiben. Entweder man hat es schon erlebt, oder man kennt es eben nicht. Im Glanz des Weihnachtsbaumes verschwammen alle Einzelheiten. Mein Blick erfaßte zufällig einen Hut, der zu meinem Abscheu offenbar mit einem toten Vogel garniert war. Aber der Hut war bestimmt nicht für mich. Erst während wir alle zusammen (auch Klara, Rosa und Frau Thoms, die Köchin, waren nach uns eingetreten) „Stille Nacht, heilige Nacht" sangen, konnten wir unsere Blicke über die ausgebreiteten Geschenke schweifen lassen. Es kam vor allem darauf an, das Plätzchen zu finden, das für einen bestimmt war. Ich fand meins bald, denn da saß meine Puppe Meta, wie jede Weihnachten neu eingekleidet, in einem lila Samtmantel mit passendem Hut. Ehe ich mehr unterscheiden konnte, war das Lied zu Ende, und es begannen die Vorträge.

Den Anfang machte wie immer Großvater Neander mit der Weihnachtsgeschichte. Er stand vor dem Weihnachtsbaum uns gegenüber, ein schöner, großer Herr mit weißem Backenbart in einem schwarzen Gehrock und Stehkragen. Er hielt die Bibel aufgeschlagen vor sich, aber er blickte nicht hinein, denn er kannte die Weihnachtsgeschichte natürlich auswendig, noch dazu als pensionierter Hauptpastor.

Ich hatte bisher weder Dorchens Boot noch meine Nähmaschine entdeckt. Allerdings hatten meine Eltern die Angewohnheit, die Hauptgeschenke hinter den anderen zu verstecken. Vielleicht war die Nähmaschine unter dem ausgebreiteten rosa Etwas, das ein Nachthemd sein mochte. Jedenfalls bekam ich einen blauen Filzhut.

Nach der Weihnachtsgeschichte spielten die Zwillinge vierhändig auf dem Klavier, dann trug Dorchen unter allgemeiner Verwunderung ihr Gedicht vor. Sie blieb nicht stecken, das war nicht Dorchens Art, sie leierte auch nicht, man konnte in ihren Worten förmlich den Sturm und die Wellen spüren, durch die sich das Boot des Lotsen kämpfte.

Ich machte den Schluß mit meinem Gedicht. Dann wünschten wir uns alle frohe Weihnachten, und zwar ordentlich nach der Reihe. Das heißt, Anna fing mit ihrem Herrn Uhl bei den Eltern an, nach ihr waren die Zwillinge dran, dann Dorchen, und ich machte wieder den Schluß.

Ich machte immer den Schluß. Ich war eben die Jüngste und hatte noch dazu gar nichts Außergewöhnliches. Anna war schon eine Dame und zählte sozusagen doppelt. Die Zwillinge sahen sich so völlig und lächerlich ähnlich, daß jeder sie als Naturwunder bestaunte. Dorchen war die hübscheste von uns allen mit ihrem gelockten Haar und den schönen Augen, auch sprühte sie vor Einfällen und Lebenslust. Und ich war eben nur das Gretchen.

„Hier ist auch noch unser Gretchen", sagte meine Mutter oft, wenn sie ihre Kinder irgendeinem Besuch vorstellte und mich aus dem Hintergrund hervorzog.

Die Glückwünsche und Umarmungen dauerten ewig! Dorchen wurde von Großvater Neander lang und breit über ihr Weihnachtsgedicht befragt, so daß ich hinter ihr warten mußte. Und noch immer wußte ich nicht, ob sich unter der rosa Verhüllung die Nähmaschine verbarg.

Dann kam endlich der schönste Teil des Weihnachtsabends. Alle waren damit beschäftigt, ihre Gabentische zu untersuchen. Jeden Augenblick stieß jemand einen Freudenruf oder Aufschrei der Verwunderung aus.

Anna setzte sich den Hut mit dem Vogel auf, der mir zuerst aufgefallen war. Mutter probierte einen grauen Hut mit rosa Federn. Selbst Großmama hielt sich eine elfenbeinfarbene Spitzenhaube über die Stirn, um zu sehen, ob sie ihr stand. Vor dem großen Spiegel zwischen den Fenstern gab es direkt einen Auflauf. Die Zwillinge hatten beide braune Pelzkappen und Muffs bekommen. Sie probierten sie auch an, aber sie brauchten keinen Spiegel. Sie kicherten und besahen sich gegenseitig, denn jede war ja das Spiegelbild der anderen.

Dorchen und mir fiel es nicht ein, die blauen Filzhüte aufzuprobieren. Wir hatten anderes im Kopf.

Unter dem rosa Nachthemd fanden sich ein paar weiße Stiefel und neue Schlittschuhe. Aber die Nähmaschine war auch da! Sie versteckte sich hinter einem Bündel herrlicher Stoffreste, sogar roter Samt war dazwischen und ein Stückchen richtige weiche Seide! Ein Schnittmusterbuch für Puppenkleider entdeckte ich auch. Ich war so hingerissen, daß ich eine Weile gar nicht auf Dorchen achtete. Die hatte inzwischen ebenfalls Stiefel und neue Schlittschuhe gefunden und – ein Krocketspiel. In einen langen Karton gebettet lagen acht Krockethämmer, in allen Farben glänzend, dazu bunte Holzbälle und die runden Tore, die man in den Rasen steckt. Ein wirklich schönes Geschenk! An Dorchens Geburtstag im Sommer konnten wir es mit ihren Freundinnen spielen, das war einmal etwas anderes als Topfschlagen. Auch mit Krischan und Lisa und Magda. Vielleicht spielte sogar Klärchen einmal mit, wenn sie Zeit hatte. Ich war begeistert.

Dorchen probierte gleich einen Schlag. Hui – sauste der Ball über den Teppich und Großmutter Neander gegen das Bein. Das Weihnachtszimmer war doch nicht der richtige Ort zum Krocketspielen. Dorchen legte den Hammer in den Karton zurück und suchte weiter – sie suchte ja noch immer nach dem Boot. Im Zimmer war es offenbar nicht versteckt. Also hieß es abwarten. Am liebsten hätte sie einfach gefragt: „Vater, und wo ist das Boot?" Aber sie wußte, der Vater verabscheute unbescheidene Kinder.

Vorläufig befühlten wir unsere Wunderknäuel. Die kamen von Großmama wie jedes Jahr. Meins war von rosa Wolle, Dorchens von hellblauer. Beide waren groß, merkwürdig eckig und ausgebeult, denn darin waren kleine Geschenke eingewickelt, die einem in den Schoß fielen, wenn man eine Strecke Wolle abgestrickt hatte. In der Mitte steckte das Schönste. Dorchen fing an, an ihrem Knäuel herumzubohren und zu zupfen, da sagte Großmamas Stimme hinter uns: „Das gilt nicht. Das ist gegen die Spielregeln."

Als Großmama Onkel Carls Geschenk für Dorchen sah, mußte sie sehr lachen und „Ach du allerliebste Güte" sagen. Es war nämlich ein großes Taschenmesser.

Dorchen hatte ein Taschenmesser auf ihrem Wunschzettel aufgeführt, ohne zu hoffen, daß sie eins kriegen würde. Nun hatte ihr Onkel Carl eins geschenkt, über das sich ein bayerischer Holzfäller gefreut hätte. Aus einer Hornschale ließen sich zwei große scharfe Klingen, ein Korkenzieher, ein Schraubenzieher und noch andere Werkzeuge klappen.

Nun trat aber der Vater unter den Weihnachtsbaum und sagte laut: „Jetzt hört alle zu. An diesem feierlichen Abend dürfen wir *noch* etwas feiern. Anna will sich nun mit Herrn Uhl verloben."

Anna ließ sich von Herrn Uhl einen goldenen Ring aufstecken, und als sie sich küßten, wurden beide feuerrot vor Glück und vor Verlegenheit. Mutter und Großmutter Neander weinten, Großmama lächelte, die Zwillinge prusteten, und dann ging die Glückwünscherei wieder von vorne los.

Als wir damit durch waren, kam Rosa herein, die inzwischen mit Frau Thoms und Klara in die Küche zurückgekehrt war, und meldete: „Es kann gegessen werden."

21

Da konnte Dorchen es nicht länger aushalten. Während sich schon alle nach dem Eßzimmer in Gang setzten, faßte sie Vater am Rockschoß und sagte laut: „Vater, sag doch jetzt, wo das Boot liegt."

Der Vater verstand das nicht. Als ich sein erstauntes Gesicht sah, wußte ich mit einemmal: Es gab gar kein Boot. Dorchen kriegte kein Boot. Und noch war Dorchen überzeugt, daß ein Boot irgendwo für sie versteckt lag.

In dem Durcheinander des Aufbruchs zum Eßzimmer hörte ich nicht genau, was die beiden sagten. Aber plötzlich schrie Dorchen auf und fing an, mit den Füßen zu stampfen; der Vater packte sie bei den Schultern, aber sie riß sich los und ergriff das nächste, was sie erreichen konnte – nämlich Annas Hut mit dem blau-weißen Vogel – und schleuderte es auf die Erde. Vaters blaue Augen blitzten zornig, Dorchen sah ihm unerhört ähnlich in diesem Augenblick, und ich hörte seine scharfe Stimme: „Geh sofort hinauf in dein Zimmer. Solch ungezogene Kinder haben an der Weihnachtstafel nichts zu suchen."

Das war für uns beide das Ende der Weihnachtsfreude. Dorchen verschwand schluchzend, und mir schmeckte vor Kummer nicht einmal der Zitronenpudding.

Nein, dieses Jahr bekam Dorchen kein Boot. Sie brauchte mehrere Tage, um darüber hinwegzukommen. Sie hatte es sich zu fest eingebildet und sich zu wild darauf gefreut. Und obendrein war der Vater immer noch böse, daß Dorchen mit ihrem Benehmen für die ganze Familie die Weihnachts- und Verlobungsfeier gestört hatte.

Dorchens einziger Trost war Onkel Carls Holzfällermesser, so lange, bis Großmamas Wunderknäuel abgestrickt war. Denn in der Mitte steckte ein Päckchen, aus dem ein zweites Taschenmesser zum Vorschein kam, ein zierliches, aber haarscharfes, in einer Perlmutterfassung.

Was ich in meinem Wunderknäuel fand? Ach, das habe ich ganz vergessen. Ich glaube, einen kleinen silbernen Fingerhut.

2. Kapitel

Die Straße herauf kam jemand und pfiff. Die Sonne schien schon warm, die Amseln sangen in den Gärten, und dieses Pfeifen war unverkennbar.

„Krischan", rief ich. „Endlich kommt er zum Essen."

Wir standen neben unserem Haus, Dorchen und ich, Harry auf der anderen Seite des Zaunes im Nachbargarten.

„Der Schneiderlehrling", spottete Harry, „er geht zum Essen zu anderen Leuten."

„Sei still!" zischte Dorchen.

Harry ging mit Krischan in eine Klasse im selben Gymnasium. Aber er sah auf ihn herab, weil Krischan bloß der Sohn einer Schneiderin aus Barmbek war, während Harry selbst als reicher Leute Kind in einer feinen Straße wohnte.

Vor allem verhöhnte er Krischan, wenn dieser ein Paket von seiner Mutter brachte (wie zum Beispiel unsere Weihnachtsschürzen). „Ladenschwengel" oder „Botenjunge", rief Harry, und Krischan wurde feuerrot, obgleich er so ein vernünftiger Junge war.

Ja, so waren die Zeiten damals. So unsinnig es klingt: Es galt nicht als vornehm, auf der Straße etwas in der Hand zu tragen, außer was zur Kleidung gehörte, wie Regenschirm und Handtäschchen. Kinder trugen natürlich ihre Schultaschen und ihre Schlittschuhe, Damen wie meine Mutter und Anna auch wohl zierliche, hübsche Päckchen am Arm, wenn sie aus der Stadt kamen. Mehr hätten sie im Winter gar nicht bewältigen können, denn ihre Hände steckten dann in einem Muff. Einen Einkaufskorb oder ein größeres Paket zu transportieren, das war Sache der Dienstboten. Am striktesten galt die Regel übrigens für Männer und Jungen. Es gab Gymnasiasten, die

23

ein halbes Pfund Butter, das sie beim Kaufmann holen mußten, in ihre Hosentasche zwängten, nur damit sie ihren Schulkameraden nicht lächerlich vorkamen.

Zu meiner Erleichterung war es Harry im Augenblick nicht möglich, Krischan zu beleidigen, denn Dorchen paßte auf. Krischan trat vergnügt zu uns und legte seine abgewetzte Schulmappe auf die Stufen.

Es gab kaum zwei verschiedenere Jungen. Der große, rothaarige Krischan in seinem einfachen Anzug, den ihm seine Mutter genäht hatte und aus dem er schon etwas herausgewachsen war. Drüben der feine Harry, dunkle Augen hatte er und sah geradezu fremdländisch elegant aus. Nie rutschten ihm seine Kniestrümpfe wie doch den meisten anderen Jungen.

Jetzt sagte er irgend etwas in einer Fremdsprache.

„Was heißt das? Was sagst du jetzt?" fragte Dorchen.

„Ich habe gesagt: Guten Tag, schönes Mädchen", lachte Harry, und Dorchen fühlte sich geschmeichelt.

Das war sicher wieder Portugiesisch. Die Meyers, Harrys Eltern, hatten mehrere Jahre in Brasilien gelebt, wo Harry geboren war. Aber sie waren ganz normale Hamburger, wenn auch meine Mutter sie „Die Südamerikaner" nannte. Harry war ihr einziges Kind.

Jetzt sagte er noch etwas in dieser Sprache, die niemand verstand.

„Und was heißt das?" fragte Dorchen.

Harry musterte Krischan spöttisch von oben bis unten.

„Ich habe etwas über Krischan gesagt. Aber ich verrate nicht, was. Lern doch Portugiesisch, Krischan, damit du mich verstehen kannst."

„Lern du lieber Latein, damit du nicht so viele Fehler im Extemporale machst", gab Krischan zurück. „Dr. Hahn hat gesagt, er muß für Harry Meyer jeden Monat ein Fläschchen rote Tinte extra kaufen."

„Aus der Schule plaudern!" schimpfte Harry. „Man merkt, daß du kein Gentleman bist, sondern bloß . . ."

Er redete nicht weiter, aber man konnte seinem Gesicht ansehen, was er meinte.

Ich war heilfroh, daß Klärchen jetzt aus dem Kücheneingang rief: „Wollt ihr nicht zum Essen kommen? Soll die Großmama warten?"

In Wirklichkeit rief Klärchen das auf plattdeutsch. Sie stammte aus den Vierlanden, da sprach damals kein Mensch Hochdeutsch. Wir redeten auch gerne Platt mit ihr, so gut es eben ging. Aber Großmama, die konnte so gut Platt wie Hochdeutsch.

Wie immer an Werktagen aßen wir bei der Großmama. Die Eltern mit Anna und den Zwillingen aßen erst am frühen Abend, wenn der Vater aus seiner Kanzlei kam. Gegen Ende der Mahlzeit gingen wir zwei meist hinunter ins Eßzimmer, um noch etwas von dem Nachtisch abzukriegen.

„Ach, was freue ich mich auf den Sommer", sagte die Großmama, als Klärchen die Schüssel mit Gemüse auf den Tisch setzte.

„Den ganzen Winter Kohl und Rüben oder Eingekochtes. Wenn wir nur erst wieder den herrlichen Blumenkohl und den frischen Salat aus den Vierlanden hätten!"

Klärchen strahlte. Sie war stolz auf ihre Heimat.

„Eine berühmte Gegend, die Vierlande", sagte die Großmama und nickte Klärchen zu. „Nicht nur für Blumen und Gemüse. Früher hatten manche Hamburger Familien Vierländer Ammen. Wenn es schön war und die Sonne schien – so wie heute –, trugen sie die kleinen Kinder auf dem Arm spazieren. Die Ammen hatten ihre Vierländer Sonntagstracht an, gestickte Mieder und silberne Ketten, und die reichen Babys Kleider und Hauben aus Seide oder Kaschmirwolle. Man wußte fast nicht, wer schöner aussah, die Amme oder das Kind."

„Und weshalb haben sie das Baby nicht im Kinderwagen ausgefahren?"

„Weil es noch gar keine Kinderwagen gab, kleine Deern, vor fünfzig Jahren."

Da staunte man. Daß es so was Praktisches wie Kinderwagen nicht schon immer gegeben haben sollte!

Natürlich mußten wir nach Tisch Schularbeiten machen. Großmama hielt ihr Nickerchen, Krischans Mutter kehrte ins Nähzimmer zurück, und wir beide setzten uns mit Krischan an den großen Tisch in unserm Zimmer. Aber ehe Krischan darangehen konnte, unter Verwendung von viel blauer Tinte seine eigene Lektion aufzuschreiben, schob ihm Dorchen ihr Heft hin.

„Bitte!" sagte sie. „Ich hab' nicht aufgepaßt, als es dran war. Ich soll einen Aufsatz über das Wattenmeer schreiben. Du machst es für mich, nicht, Krischan? Keiner merkt was."

Krischan schüttelte etwas seinen Kopf, aber natürlich ging er sofort an die Arbeit. Er verstellte seine Schrift. Es war nicht die erste Hausarbeit, die er für Dorchen schrieb. Krischan tat alles für Dorchen. Er hatte sie so gern . . . ich glaube, Krischan liebte Dorchen nach seiner Mutter am meisten von allen Leuten.

Dorchen kletterte nun mit einem Buch auf den Schrank und begann zu murmeln.

„Was lernst du?" fragte ich.

„Die deutschen Kaiser", sagte sie.

Ich lernte die Erklärung zum achten Gebot. Seit Weihnachten hatte ich bereits die Nebenflüsse der Elbe, die Namen der zwölf Apostel, das Einmaleins mit der 12, 13, 14 und 15, das Gedicht: „Vor allem eins, mein Kind, sei treu und wahr" und die Erklärungen der ersten sieben Gebote gelernt.

Nach dem Tee hörte Großmama uns stets ab und konnte immer einhelfen, wenn wir nicht weiterwußten, denn sie hatte als Kind dasselbe auswendig gelernt. Wie praktisch!

Krischan war gerade mit Dorchens Aufsatz fertig geworden, als sich Klärchen zu uns ins Zimmer setzte. So erfuhr sie nichts von der Mogelei und brauchte nicht zu schimpfen. Sie hatte den Flickkorb mit unseren Sachen und begann, Knöpfe anzunähen.

Unzählige Knöpfe gab es an Unterwäsche und Oberkleidern, und natürlich wurden sie ständig lose. Reißverschlüsse hatte man noch nicht. Und wo keine Knöpfe oder Haken hinpaßten, saßen Schleifen.

Schleifen über Schleifen! Zehn weibliche Wesen lebten in unserem Haus, vom neunjährigen Gretchen bis zur 75-jährigen Großmama. Schleifen saßen überall: hinten an den weißen oder blaugestreiften Schürzen von Rosa, Klärchen und Frau Thoms, an unseren Schürzen und in unseren Zöpfen, an der Seidenbluse meiner Mutter, an den Hinterköpfen der Zwillinge, auf Großmamas Haube. Wo man ging und stand, flatterten Schleifen.

Alle weiblichen Personen in unserem Haus achteten darauf, daß ihre Schleifen ordentlich saßen, rückten sie gerade, zogen sie fester, plusterten sie schön auseinander – alle, außer Dorchen. Dorchen waren ihre Schleifen schnurzegal. Ihre Zopfbänder, Schürzenbänder, Schuhbänder, Kapuzenbänder hingen nach kurzer Zeit unordentlich herum, und wenn Dorchen nicht so gewandt gewesen wäre, wäre sie ständig gestolpert oder hängengeblieben.

„Wollen wir das Krocketspiel ausprobieren?" schlug Dorchen vor, als endlich die Schularbeiten fertig waren. „Es ist schon ganz trocken auf dem Rasen. Kommst du mit, Klärchen?"

Doch Klärchen wollte erst noch ein paar von unseren Schürzen plätten.

Wir drei trugen das Krocketspiel in den Garten.

„Seid ihr warm genug angezogen?" fragte unsere Mutter, der wir im Hausflur begegneten. „Es weht ein ziemlicher Wind. Ihr solltet eure Jacken anziehen und einen Hut!"

Unsere Mutter hatte immer Angst, wir könnten uns erkälten. „Den Tod holen", nannte sie es gar. Ein bißchen recht hatte sie vielleicht. Als ich ein Kind war, starben noch viele Leute an Erkältungen oder Grippe.

Dorchen schlüpfte leise maulend in ihre blaue Jacke. Ich wußte, sie würde sie spätestens in zehn Minuten ausziehen und irgendwo auf einen Busch hängen, wenn die Mutter nicht mehr in der Nähe war. Ganz zu schweigen von dem Hut!

Kaum hatten wir die Krockettore in den Rasen gesteckt, da erschien Harry. Er stieg geschickt um das Ende des Zaunes herum, da, wo er an den Kanal stieß. Harry war ein gewandter Turner. Manchmal balancierte er auf dem Gartenzaun. Nie fiel er hin und machte sich schmutzig.

„Soll ich mitspielen?" fragte er. Nicht etwa: „*Darf* ich mitspielen?"!

Dorchen war von uns dreien die einzige, die sich freute.

Sie war auch die einzige, der das Spiel Spaß machte. Krischan und ich ärgerten uns die ganze Zeit.

„Wie ungeschickt!" schrie Harry immer wieder, wenn einer von uns beiden auch nur ein bißchen danebentraf. Oder aber: „Das gilt nicht!"

Fast nie sollte es gelten, wenn Krischan einen besonders guten Schlag getan hatte. Harry behauptete, alle Regeln des Krocketspiels zu kennen, und merkwürdigerweise erlaubten die Regeln es meist nicht, wenn Krischan oder mir etwas gelang. Dorchen dagegen durfte alles, und Harry hob mehrmals ungeniert seinen Ball auf, um ihn an einen günstigeren Platz zu legen. „Eine kleine Spielkorrektur", sagte er mit wichtiger Miene.

Das ging so lange, bis Dorchen plötzlich ihren Ball in den Kanal schlug. Da trudelte er erst unschlüssig hin und her, aber man konnte schon sehen, daß ihn die leichte Strömung doch mitnehmen wollte. Harry war schon am Ufer, hielt sich am Zaunpfahl fest und hinderte das rote

Holzbällchen mit seinem Schläger am Davonschwimmen.

„Dorchen, Dorchen", schrie er. „Stell dich auf den Stein da. Der liegt ganz fest. Ich treibe dir den Ball zu, dann kannst du ihn herausfischen."

„Bloß nicht!" rief Krischan.

Aber es war schon passiert. Dorchen trat im Vertrauen auf Harrys Behauptung auf den Stein und konnte sich eben noch an einem Zweig festhalten, sonst wäre sie rückwärts in den Kanal gestürzt, als der Stein unter ihr wegkippte. Sie stand bis zu den Knien im Wasser.

Eine schöne Bescherung! Stiefel, Strümpfe, der untere Teil von Schürze, Kleid und Unterrock vollgesogen und durchweicht. Dorchen jammerte und schauderte nicht schlecht, als wir ihr herausgeholfen hatten.

„Leise, leise!" rief der flinke Harry. „Ich renne eben mal zum Haus und gucke in den Flur. Wenn niemand da ist, gebe ich dir ein Zeichen. Dann schleichst du dich nach oben. Euer Klärchen wird schon alles saubermachen."

Schon war er weg, verschwand für ein paar Augenblicke in unserm Haus; dann trat er aus der Tür, winkte uns zu kommen und lief selbst nach vorn auf die Straße.

Wir hatten Dorchen inzwischen geholfen, ihre Stiefel aufzuschnüren, damit sie sie vor der Haustür ausziehen konnte. Als wir eben hineinschlüpfen wollten, wurde die Tür von innen aufgemacht, und wir standen vor unserer Mutter. Frau Thoms und Rosa waren auch im Hausflur.

„Mein Gott, Kind, Dorchen, wie ist das bloß passiert?" rief die Mutter. „Du triefst ja vor Nässe. Die Stiefel auch? Geh sofort und zieh alles aus. Dann gehst du ins Bett, und Klärchen bringt dir eine Wärmflasche. Du kannst dir sonst den Tod holen!"

Dann sah meine Mutter Krischan und mich an und schüttelte den Kopf.

„Immer diese wilden Spiele!" sagte sie, als wären *wir* daran schuld gewesen.

„Eben habe ich den Flur gewischt", schimpfte Rosa hinter Dorchen her. „Nun ist wieder alles voll Tapsen."

„Ich wette, dieser Harry steckt dahinter", brummte Frau Thoms. „Boshafter Bengel!"

Wir waren froh, als wir oben waren.

Klärchen nahm sich ohne viel Federlesens der nassen Sachen an, und Großmama erlaubte, daß Dorchen, nachdem sie sich gewaschen und trockengerieben hatte, mit einer Decke um die Beine am Teetisch sitzen durfte.

„Was für ein Pech, daß plötzlich alle im Flur waren", stöhnte Dorchen. „Jetzt kriegt es auch der Vater zu hören. Dann wird er böse."

„Wo kamen sie bloß her?" fragte ich. „Harry hatte doch extra nachgeguckt."

„Was schnaufst du so, Krischan?" fragte die Großmama. „Oder hast du etwas gesagt?"

Krischan zog ein sehr komisches Gesicht.

„Ich denk' mir was", sagte er.

„Was denkst du dir?"

„Harry hat nicht nachgeguckt, ob der Flur leer war, sondern er hat Dorchen verpetzt. Vielleicht in der Küche."

„Wie gemein von dir, Harry so zu verdächtigen!" rief Dorchen. „Gleich laufe ich Frau Thoms fragen."

„Hier bleibst du, bis wir fertig sind und du wieder warme Beine hast", verordnete die Großmama energisch. „Ich würde mich nicht wundern, wenn Krischan recht hätte. Dieser Harry – er hat so was Schlüpfriges. Ob dieses Brasilien auf ihn abgefärbt hat? Richtig hamburgisch kommt er mir nicht vor."

„Ein Ekel!" sagte ich aus vollem Herzen.

Klärchen, die mit dem Butterbrot kam, hörte, wovon die Rede war.

„Das zweite Mädchen von Meyers hat zum Ersten gekündigt", sagte sie.

„Du sollst keinen Klatsch herumtragen, Klärchen", ta-

delte die Großmama. „Aber sag mal: weshalb denn?"
Klärchen kicherte. „Wegen dem Harry natürlich. Er
hat der Liese die ganze frischgewaschene Tischwäsche
dreckig gemacht. Schon zum drittenmal."

„So ein tückischer Lümmel!" sagte die Großmama.
„Kein Wunder, daß bei Meyers die Mädchen so oft wech-
seln."

Solange ich zurückdenken konnte: Nie hatte ich bei
uns jemand anderes gesehen als Frau Thoms, Rosa und
Klärchen.

Dorchen paßte unsere Unterhaltung nicht. Auch ging
sie später *nicht* Frau Thoms fragen, aber ich.

„Natürlich hat er euch verpetzt", sagte Frau Thoms.
„Und leider war deine Mama gerade in der Küche. Boshafter Bengel!"

Als ich Dorchen das berichten wollte, hielt sie sich die
Ohren zu. Sie bewunderte Harry nun einmal, und es gefiel ihr, wenn er ihr schmeichelte. Immerhin wurde sie
wütend, als er unser Klärchen „Vierländer Bauerntrampel" nannte, und sie ließ sich von ihm auch nicht
gegen mich, ihre eigene Schwester, aufhetzen. Das versuchte Harry nämlich, weil er wußte, daß ich ihn nicht
ausstehen konnte.

Aber was für ein gemeiner Kerl er war, gab Dorchen
erst eine ganze Weile später zu, als sie es vor sich selbst
einfach nicht mehr verheimlichen konnte.

Im April brachte Klärchen von einem Sonntagsbesuch bei
ihren Eltern in den Vierlanden ein schwarzweißes Kätzchen mit, etwa sechs Wochen alt. Wir nannten sie Minka,
und sie war das süßeste Spielzeug und frechste kleine
Biest, das man sich vorstellen kann. Sie gehörte uns oben
im zweiten Stock, ging aber auch gerne zu Besuch in die
Küche hinunter.

Junge Katzen sind ziemlich wie kleine Kinder, nur
nicht so tolpatschig. Sie toben herum wie verrückt, und

von einer Minute zur nächsten werden sie so müde, daß sie sofort schlafen müssen. Minka jagte durch alle Zimmer im zweiten Stock, sauste an den Gardinen hoch, raste über Großmamas Teetisch, spielte und raufte mit meinen Stoffresten und Rosas weißem Häubchen, wühlte in Großmamas Handarbeitskorb herum, so daß wir alle aus dem Lachen und Schimpfen nicht herauskamen. Plötzlich war sie wie vom Erdboden verschluckt. Dann hatte sie sich ein Schlafplätzchen gesucht. In Großmamas Himmelbett. In Metas Puppenwagen. In Klärchens Kommodenschublade.

Dorchen bewunderte die kleine Katze.

„Sieh mal, wie sie springt", sagte sie, „zigmal so hoch, wie sie selbst groß ist. Als ob sie gar nichts wiegt. Wenn ich so springen könnte, dann könnte ich vom Garten bis auf unser Dach springen."

Minka kletterte auf die große Buche. Dorchen kletterte hinterher, aber sie konnte Minka längst nicht erreichen. Sie beobachtete Minka auch mit Neid, wenn diese auf unserm Dach herumspazierte. Und bei der Gelegenheit hatte Dorchen eines Tages den Einfall mit dem Sims.

Es gibt viele Häuser, die einen solchen Sims haben, vor allem die großen Villenhäuser, die vor etwa hundert Jahren gebaut wurden. Er ist um zwanzig Zentimeter breit und läuft um das Haus, so als ob der Fußboden des ersten Stockwerkes nach außen übersteht.

„Wenn ich auf diesem Sims mal um das ganze Haus klettern könnte, wäre ich fast so geschickt wie Minka", sagte Dorchen, und Harry schien gleich Feuer und Flamme.

„Tu's doch, versuch's doch, vielleicht schaffst du's, dann bist du ein Fassadenkletterer", sagte er. Dann erzählte er eine aufregende Geschichte von einem Einbrecher in Lissabon, der der Polizei immer entwischen konnte, weil er wie eine Katze über die Dächer und an den Simsen entlanglaufen konnte.

„Wenn du da runterfällst, das wird schlimmer als Kleiderzerreißen, dann brichst du dir was oder bist tot", sagte ich. Auch Krischan warnte vor dem Unternehmen. Immerhin maß er mit einem Zollstock vom Balkon aus die Breite des Simses: 22 cm und etwas abschüssig. Damit Dorchen ausprobieren konnte, wie es sich anfühlte, um den Sims zu klettern, legte er dicht an der Hauswand ein Brett über zwei Küchenstühle. Dorchen balancierte spielend darauf entlang.

„Jetzt weiß ich, wie das geht, um den Sims laufen!" stellte sie hinterher fest, und wir glaubten, damit wäre die Sache abgetan.

Im Sommer herrschte natürlich wieder reger Bootsverkehr auf den Kanälen. Dorchen mußte vom Ufer aus zusehen.

Die Zwillinge ruderten fast täglich los, Richtung Alster. Harry fuhr im weißen Matrosenanzug an unserm Garten entlang und schwenkte seinen Strohhut, um uns zu grüßen und zu beeindrucken. Morgens kamen sogar Kinder vorbeigerudert, die zur Schule wollten, und mittags kamen sie zurück, im eigenen Boot, stolz wie Kapitäne. „Möwe" hieß ein Boot, das oft vorbeifuhr, „Albatros" ein anderes, eins hieß sogar „Queen Victoria". Schön bunt angemalt waren die meisten, und Dorchen wünschte sich mehr denn je, auch so ein Boot zu besitzen.

„Zum Geburtstag", sagte sie, „da bin ich zwölf. Da wird mir der Vater eins schenken."

Aber zunächst mußte dem Vater der Wunsch noch einmal vorgetragen werden.

Ganz so ungeniert wie heute gingen in meiner Kinderzeit die Kinder nicht mit ihren Eltern um. Vor allem galt es nicht als schicklich, bei jeder Gelegenheit seine Wünsche hinauszuposaunen. Natürlich sagten auch wir, wenn wir das Schaufenster eines Spielwarengeschäftes betrachteten: „Diese Puppe mit den schwarzen Locken, die möchte ich." Oder: „Den süßen Kaufladen, den wünsche ich mir zum Geburtstag." Aber das war mehr so dahingesagt, wie wenn man träumt: „Nach Australien möchte ich wohl mal reisen und die Känguruhs springen sehen."

Zu Weihnachten konnte man seine Wünsche auf ein Stück Papier schreiben und sich das Blaue vom Himmel herunterwünschen. Manches bekam man auch wirklich, wie an meiner Nähmaschine und Dorchens Taschenmessern zu sehen war. Aber vor die Eltern treten und so etwas Großes und Teures wie ein Boot ernstlich verlangen – das war schon etwas ... na, da bekam man schon Herzklopfen, ehe man anfing zu reden.

Dorchen suchte sich auch noch, ohne es zu ahnen, den ungünstigsten Moment aus. Es war ein schöner, heiterer Abend Anfang Juni. Wir hatten, während die Eltern aßen, im Garten gespielt und Minka bis in die Büsche hinein verfolgt. Dann sahen wir Frau Thoms die Schüssel mit Rhabarbergrütze vom Küchenfensterbrett nehmen und wußten, daß nun der Nachtisch aufgetragen wurde.

„Heute sag ich's dem Vater", verkündete Dorchen, während ich mir die Haare zurechtstrich und meine Schürze wieder ordentlich zuband. Dorchen ging, wie sie war.

Rosa kam gerade mit dem leeren Tablett aus dem Eßzimmer und hielt die Tür für uns auf. Die Mutter am un-

teren Ende des Tisches goß sich schon Sahne über die Rhabarbergrütze, und Anna tauchte eben den großen Löffel in die Schüssel. Dorchen stellte sich neben den Vater, der oben am Tisch saß, und sagte ohne lange Umschweife: „Vater, zum Geburtstag möchte ich aber doch bitte nun das Boot haben, das ich Weihnachten nicht kriegen sollte."

Wie ungeschickt! Nicht nur mir, sondern auch allen andern fiel natürlich sofort der Auftritt unter dem Weihnachtsbaum ein, wo Dorchen in ihrem Wutanfall Annas neuen Hut verdorben und der Vater sie aus dem Zimmer verbannt hatte. Der Vater runzelte die Stirn und ließ die Schüssel mit der schönen rosa Grütze, die Anna ihm zugeschoben hatte, unbeachtet stehen. Deshalb bekamen die Zwillinge vorläufig auch nichts.

Anstatt auf Dorchens Rede zu antworten, betrachtete der Vater sie von oben bis unten und sagte unfreundlich: „Wie siehst du aus? Wie schmutzig und zerrauft. So kommt man nicht in ein Eßzimmer und verdirbt seinen Eltern den Appetit!"

Ganz unrecht hatte er nicht. Dorchens Haare hingen zottelig herum, der eine Zopf war fast aufgelöst. Ihre Schürze hatte vorn grünschwarze Schmierstreifen von den feuchten Zweigen, durch die sie gekrochen war, und sämtliche Schleifen waren aufgegangen.

Es stellte sich aber heraus, daß Vaters schlechte Laune noch einen anderen Grund hatte. Dorchen kam eigentlich meistens mehr oder weniger zerrupft ins Eßzimmer, wenn wir vorher gespielt hatten. Und gewöhnlich lachte der Vater, strich ihr die Locken aus dem roten Gesicht und sagte: „Na, du kleiner Wildfang, kommt jetzt das Raubtier rechtzeitig zur Fütterung?" Etwas Ähnliches hatten Dorchen und ich auch diesmal erwartet.

„Ich habe heute einen Brief erhalten", fuhr der Vater also fort. „Einen Brief von Fräulein Markus, und beim Lesen habe ich mich geschämt."

Ich wunderte mich. Fräulein Markus war unsere Schul-
vorsteherin. Wir küßten ihr jeden Morgen die Hand,
wenn wir an ihr vorbei durch die Eingangshalle in unsere
Klassen gingen. Sie stand hoch über allem Schulbetrieb in
einem schwarzen Seidenkleid mit weißen Spitzenbünd-
chen, und wenn sie eine Schülerin ansprach, dann wurde
die meistens rot – entweder vor Stolz oder weil sie sich
schämte. Aber wieso konnte Fräulein Markus *meinen
Vater* dazu bringen, daß er sich schämte?

„Fräulein Markus ist gar nicht zufrieden mit dir, Dorothea", sagte der Vater. (Er sagte „Dorothea", o Schreck!)
„Sie schreibt, du lernst nicht ordentlich und gibst unge-
hörige Antworten. Neulich ist festgestellt worden, daß
dein Aufsatz über das Wattenmeer von jemand anderem
geschrieben worden ist. Ich nehme an, du hast Lisa oder
Magda herumgekriegt."

Lisa und Magda schüttelten die Köpfe. „Nich die
Bohne", sagte Lisa.

„Na, jedenfalls hast du die Arbeit nicht selbst gemacht.
Und dazu –", und jetzt wurde der Vater offenbar wirklich
zornig, „benimmst du dich in der Schule unmöglich. ‚Ihre
Tochter Dorothea läßt es leider oft an dem Mindestmaß
an Anstand und ordentlichem Benehmen fehlen, das wir
von unseren Schülerinnen verlangen müssen', schreibt
Fräulein Markus. Sie schreibt, du rutschst ständig alle
Treppengeländer herunter und läufst über die Pulte im
Klassenzimmer. Du hast auf die Weise schon mehrere
Tintenfässer zertreten oder umgestoßen, so daß die Eltern deiner Mitschülerinnen sich über die tintenbe-
schmierten Kleider ihrer Töchter beschwert haben. Du
kletterst auf die Heizkörper und Fensterbretter, und neulich hast du oben auf dem Tafelständer gesessen, als der
Kandidat Metzler Naturkunde unterrichten wollte."

„An dem Tag waren die Affen dran", erläuterte Dorchen, die bei den letzten Beschreibungen langsam ihren
eingezogenen Kopf höher gehoben und sogar angefangen

hatte, etwas zu lachen – während die Zwillinge längst feuerrot halb unter dem Tisch lagen vor unterdrückter Lustigkeit.

Dies brachte nun den Vater wirklich in Wut.

„Ich will nicht", rief er und stand vom Tisch auf, „ich will nicht", und schlug mit der flachen Hand auf das Tischtuch dicht neben der Schüssel mit der Rhabarbergrütze, „daß meine Tochter sich aufführt wie ein Zigeunerkind und Gassenjunge. Ich will nicht, daß du ständig irgendwo herumkletterst, anstatt wie andere junge Mädchen auf dem Fußboden zu gehen und ordentlich und sauber auszusehen. Ich will mich nicht für dich schämen, weder vor diesem Fräulein Markus noch vor den Nachbarsleuten, die mir auch jeden zweiten Tag von deinen Heldentaten berichten. Und was das Boot betrifft", fuhr er fort, „das schlag dir aus dem Kopf. Das wäre ja wirklich die letzte Torheit, einem solchen Kind wie dir auch noch ein Boot zu schenken. Dann würden dich drei Tage später die Leute von der Wasserpolizei aus der Alster fischen."

Jetzt fing Dorchen an zu heulen. Ich aber sah meinen Vater an, wie er sich ganz erschöpft wieder hinsetzte. Da wollte er eben friedlich seinen Nachtisch essen und mußte sich so ärgern.

Meine Mutter hatte inzwischen Lisa und Magda zugezwinkert, daß sie endlich an die Rhabarbergrütze kamen. Dann füllte sie einen Teller für mich, das Gretchen, das schließlich auch noch da war. Dorchen war heulend aus dem Zimmer gerannt.

Dorchen heulte nicht nur, weil sie nun doch wieder das ersehnte Boot nicht haben sollte. Sie hatte ihren Vater lieb, wie wir alle ihn liebhatten, und eigentlich wußte sie auch, daß sie Vaters Lieblingstochter war – obgleich es das nicht geben sollte. Aber es gibt es doch. Deswegen hatte Dorchen jetzt das Gefühl, daß der Vater sie ungewöhnlich häßlich behandelte.

Was bedeutete denn so ein Brief von dem dummen Fräulein Markus? Was war denn Schlimmes daran, daß sie in der Schule herumtobte? Bis auf die paar Tintenflecken in den Schürzen hatte es noch keinem geschadet. Wegen solcher Kleinigkeiten war sie angeschrien worden und sollte nun das Boot immer noch nicht kriegen. Dorchen wütete.

„Ich laufe fort", sagte sie, als ich nach oben kam.

„Wohin?"

„Irgendwohin. In den Wald. Ach was. Nach Amerika. Als blinder Passagier."

„Dann mußt du in eine leere Tonne kriechen und drei Wochen lang von Wasser und Brot leben. Kannst dich nicht bewegen. Hast keine Luft."

„Ja, das stimmt, das würde ich nicht aushalten. Ich gehe lieber zur See, als Schiffsjunge, wie Klärchens Bruder."

(Klärchens jüngster Bruder war zum Entsetzen der Familie eines Tages verschwunden, und erst nach Monaten kam eine Karte von ihm aus Schanghai.)

„Wie will ein Mädchen als Schiffsjunge gehen? Schiffsmädchen gibt es nicht, hab' ich noch nie was von gehört."

„Ich zieh' mir Hosen an, setz' mir eine Mütze auf –"

„Und die Zöpfe? Steckst du die immer unter die Mütze? Und wenn es windig ist und die Mütze abfällt?"

Dorchen sprang aus dem Sessel, in den sie sich gekauert hatte, und lief zu unserer Kommode.

„Paß auf", sagte sie.

Sie wühlte in ihrer Schublade, dann klappte sie das Holzfällermesser auf, das sie von Onkel Carl zu Weihnachten bekommen hatte. Sie packte ihren linken Zopf, und ehe ich ihr in den Arm fallen konnte, hatte sie ihn – ritsch ratsch – abgeschnitten. Eben unter dem Ohr.

Wir starrten uns gegenseitig mit offenem Munde an. Ich nahm Dorchen den Zopf aus der Hand. Er war warm, als ob er noch lebte. Ich legte ihn vorsichtig auf die Kom-

mode. Dann traten wir gemeinsam vor den Spiegel. Dort
konnte man erst richtig sehen, wie eigenartig Dorchen
aussah. Ich nahm mein Zeichenbuch und hielt es vor Dorchens eine Gesichtshälfte: Wie ein Junge. Und vor die andere Gesichtshälfte. Da hing ein Zopf: Wie ein Mädchen.
Nun mußten wir beide ganz schrecklich lachen, fast so
unaufhörlich und albern wie die Zwillinge. Am liebsten
hätte ich mir auch einen Zopf abgeschnitten.

Als wir wieder einmal zusammen in den Spiegel
guckten und das Experiment mit dem Zeichenbuch
machten, sahen wir über uns einen dritten blonden Kopf
mit einem weißen Häubchen. Klärchen stand hinter uns.
Sie war erst sprachlos. Als zweites lachte sie fast so sehr
wie wir über das verschiedenartige Dorchen. Als drittes

sagte sie: „Und was soll jetzt werden? Wenn das die Eltern merken? Oder die Lehrerinnen in der Schule?"

Ich hatte das gleich am Anfang gedacht. Dorchen war der Gedanke neu. Wahrscheinlich fiel ihr nun aber gleich der Vater ein und was der *jetzt* sagen würde.

„Mach was, Klärchen", bat sie. „Mach den Zopf wieder dran, daß es keiner merkt."

Bloß das ging nicht. Wir versuchten, den Zopf an das Haarbüschel zu binden, aber er rutschte sofort wieder heraus. Dann löste Klärchen den anderen Zopf auf und fing an zu frisieren und zu probieren, zu flechten und zu binden, bis sie Dorchen eine neue Frisur gemacht hatte. Anstatt zweier Zöpfe hatte Dorchen jetzt eine Zopfschaukel von einer Schläfe zur andern, und das gestutzte Büschel war eingeflochten. Die Frisur saß verhältnismäßig fest, aber Klärchen warnte: „Ein bißchen mußt du schon vorsichtig sein, damit es nicht auseinanderfällt."

Ob keiner was merkte? *Alle* merkten es. Jedenfalls alle Frauen und Mädchen im Hause. Zuerst Großmama, die Dorchens neue Frisur befühlte. Dann die Mutter. Anna auch und die Zwillinge. Rosa und Frau Thoms. Und jede versprach, dem Vater nichts zu sagen, mindestens so lange, bis ein neuer Zopf gewachsen war.

Ein bißchen Zeit ging nun darüber hin, und alle beruhigten sich. Vater sagte wieder „Dorchen" und „mein Wildfang", und Dorchen machte sich immer selbst die Haare ordentlich, ehe sie ihm vor die Augen trat, damit er bloß nicht auf die Idee kam, daran herumzuzupfen. Dorchen hoffte insgeheim auch wieder auf das Boot. Wenn sie ganz brav war und nicht mehr so tobte, wenn in der Schule niemand Grund hatte, Vater einen Brief zu schreiben – der 8. Juli war ja erst in ein paar Wochen. Vielleicht . . .?

Bis eines schönen Nachmittags Harry es fertigbrachte, Dorchen einzureden, sie müsse nun auf dem Sims entlanglaufen. Ich weiß nicht, wie er es angestellt hatte, ich kam dazu, als Dorchen schon ganz aufgeregt und fest entschlossen war. Sie sagte, sie wolle aus dem seitlichen Flurfenster steigen und mindestens bis zum Balkon in der Mitte der Vorderfront gehen. Noch diesen Abend. Wenn die Eltern sich zum Essen hingesetzt hätten, wären alle im Haus beschäftigt, und zwar im Erdgeschoß. Keiner würde etwas merken.

Ich versuchte gar nicht erst, Dorchen von ihrem Vorhaben abzubringen. Wenn sie solche Augen machte, hatte es doch keinen Zweck. So riet ich ihr wenigstens, Turnschuhe anzuziehen, damit sie nicht abrutschte. Als ich das zu ihr sagte, kriegte ich so entsetzliche Angst, daß ich anfing zu weinen. Da packte sie mich ganz böse am Handgelenk und zischte: „Wenn du jetzt etwa zu jemand gehst und mich verpetzt, dann ist es aus. Dann bist du nicht mehr meine Schwester."

Sie *wollte* einfach auf diesen Sims. Sie konnte es nicht mehr aushalten, immer ordentlich auf dem Fußboden zu gehen. Harry hatte es wohl nicht schwergehabt mit seinem Zureden. Wenn wenigstens Krischan dagewesen wäre!

Um sechs Uhr setzten sich die Eltern mit den Schwestern zu Tisch. Im selben Moment stieg Dorchen in Turnschuhen durch das Flurfenster auf den Sims. Ich sah ihr nach, wie sie die ersten Schritte entlangbalancierte. Dann rannte ich hinunter. Als ich im Garten ankam, war sie schon ein, zwei Meter weiter. Es sah schrecklich aus. Eine ganze Strecke weit kam nur leere Wand, kein Fensterrahmen, an dem sie sich hätte festhalten können. Ihre Füße schienen doch keinen sehr festen Halt zu finden. Der Sims war eben abschüssig, anders als das Brett, das Krischan über die Stühle gelegt hatte. Hoch, hoch oben tastete sich Dorchen entlang. Unten, wo ich stand, lagen Steinplatten. Ganz glatt war die Mauer, an die Dorchen ihre gespreizten Finger stützte. Ich machte unten auf dem Weg dasselbe, versuchte, mich mit den Fingerspitzen an

der glatten Mauer festzuhalten, und merkte ein klein wenig erleichtert, daß es ging, daß es ein bißchen ging.

Gott sei Dank, jetzt kam das Fenster von Annas Zimmer. Dorchen hielt sich fest und guckte zu mir herunter. Sie lachte über das ganze Gesicht mit offenem Mund, so selig wie einmal, als wir miteinander Kettenkarussell fuhren. Da wurde auch mir wieder etwas besser zumute.

Aber nun ging es auf die Hausecke zu. Das machte mich unten so schwindlig, daß ich einfach nicht mehr hinsehen konnte. Erst als ich Harrys Stimme aus dem Nachbargarten hörte: „Famos, Dorchen, jetzt bist du rum", hob ich wieder den Kopf. Sie war nicht mehr zu sehen; ich mußte nach vorn laufen. Eben war sie an Annas zweitem Fenster angekommen und blickte neugierig auf die Straße hinunter. Da standen tatsächlich schon ein paar Leute und staunten. Hoffentlich fielen sie den Eltern im Eßzimmer nicht auf.

Ich jagte die Treppe hinauf in das Schlafzimmer der Eltern und hinaus auf den Balkon. Dorchen war noch zwei Meter entfernt. Und dann kletterte sie über das Geländer zu mir. Sie lachte immer noch, ich schluchzte vor Aufregung. Nur mit der allergrößten Mühe konnte ich sie davon abhalten, die andere Hälfte des Hauses zu umklettern. Ich sagte, sie müsse sich erst waschen (sie war ganz schwarz an der Schürze und an den Händen), die Eltern wären gleich mit Essen fertig, wir müßten zum Nachtisch hinunter, der Vater würde sonst was merken. Sie sollte ein andermal die zweite Hälfte klettern.

Sie hörte auf mich. Ihr Gesicht war verzerrt bei all dem Lachen. Als ich sie an der Hand faßte, merkte ich, daß sie über und über zitterte.

Am nächsten Morgen nach dem Frühstück saß ich im Garten, denn es war Sonntag. Ich hatte meinen Farbkasten und das Zeichenbuch auf dem Tisch in der Laube ausgebreitet und malte ein Bild. Es war ganz still in der

Gegend. Auch im Haus rührte sich kaum etwas. Die Eltern waren mit Anna und Herrn Uhl in der Kirche, Lisa und Magda in ihrem Boot unterwegs. Dorchen saß bei der Großmama. Nur Minka spielte in meiner Nähe herum, versuchte Brummer und Schmetterlinge zu fangen, und dann sprang sie über die Mauer in den Nachbargarten, Harrys Garten, um dort herumzustöbern, wie sie es oft tat.

Ich malte Dorchen. Sie stand in einem feuerroten Kleid auf dem Sims und hielt die gespreizten Finger an die Mauer gepreßt. An der Zopfschaukel konnte man gut erkennen, daß es Dorchen war. Nur schade, daß ich dieses Bild niemandem zeigen durfte. Das Küchenfenster stand offen. Ich hörte Frau Thoms', Rosas und Klaras Stimmen. Sie bereiteten das Sonntagsessen vor. Es war sehr schön im sonnigen Garten an diesem Morgen.

Dann hörte ich Harry jenseits der Mauer. Er sprang herum, rief etwas, sagte etwas, aber niemand antwortete. Er spielte wohl allein. Ich stieg auf die Bank und sah zwischen den Weinranken der Laube hindurch über die Mauer. Harry hatte etwas in einem rotkarierten Küchentuch. Er knotete gerade die vier Zipfel zusammen. Merkwürdigerweise bewegte sich der Inhalt des Bündels. Harry trug nun das Bündel an dem Knoten hinunter zum Steg und stieg damit in sein Boot. Er stieß sich ab, um in die Mitte des schmalen Kanals zu gleiten. Dann hob er das zappelnde Bündel hoch, sah sich nach allen Seiten um und ließ es ins Wasser plumpsen. Er machte ein abscheuliches Gesicht dazu. Wie damals, als er das gestürzte Pferd getreten hatte. Das Bündel versank.

Erst in diesem Augenblick, tatsächlich erst in diesem Augenblick verstand ich, was das alles bedeutete. Ich schrie. Harry fuhr zusammen, setzte sich und ergriff die Ruder. Ich raste den Garten hinauf durch den Kellereingang in die Küche. Da saßen Frau Thoms, Rosa und Klara und schälten einen Berg Spargel.

„Harry hat Minka ins Wasser geworfen. Sie ist ertrunken. Sie ist untergegangen", schrie ich. Frau Thoms und Rosa guckten verdattert und hielten in einer Hand das Messer, in der anderen den Spargel fest. Aber Klärchen. Jetzt zeigte sich, aus welchem Holz unser Klärchen geschnitzt war. Sie ließ alles fallen und riß sich schon im Aufspringen Haube und Schürze ab. Dann stürmte sie an mir vorbei in den Garten zum Bootssteg hinunter. Im Laufen knöpfte sie ihr hellblaues Kattunkleid auf. Unten am Steg stieg sie aus dem Kleid, schleuderte ihre Schuhe von sich und fragte: „Wo?"

Ich bezeichnete ihr die Stelle, sie sprang, ohne zu zögern, in ihrem weißen Unterrock in das schwarzgrüne Wasser, vor dem man sich eigentlich etwas ekelte. Es war manchmal die Rede von Wasserratten. Gebadet wurde darin jedenfalls nicht.

Aber Klärchen stammte aus den Vierlanden, einer Gegend, die von Wassergräben und Kanälen kreuz und quer durchzogen wird. Man konnte sehen, daß sie sich im Wasser wie zu Hause fühlte. Vor Harrys Bootssteg verschwand sie ganz und gar und ging auf den Grund. Sie blieb so lange unten, daß ich schon fürchtete, sie sei nun auch ertrunken. Doch dann kam sie wieder an die Oberfläche, prustete und schüttelte sich und hielt ein rotweißes Bündel in der Hand.

Jetzt waren auch die andern am Bootssteg, mit ihnen Dorchen. Die arme Minka wurde aus dem Tuch befreit, sie regte sich nicht und sah so dünn und erbärmlich aus wie eine tote, nasse Ratte. Frau Thoms und Rosa redeten durcheinander, lauter dummes Zeug. „Wärmflasche", „bißchen Branntwein", „Füße massieren". Klärchen, die von Wasser triefte, hörte gar nicht hin. Sie hielt Minka kopfunter an den Hinterbeinen und drückte ihr auf den Bauch. Da lief Wasser aus dem Maul. Dann legte sie das arme kleine Tier ins Gras und fing an, es zu reiben und zu rubbeln, von allen Seiten, in allen Richtungen. Ich hatte ihr dafür meine Schürze gegeben. Nach einer Weile ereignete sich das Wunder, das wir alle erhofften: Minkas Schwanz zuckte. Und ein bißchen später fing sie an zu husten, zu würgen und Wasser von sich zu geben. Dann öffnete sie die Augen und machte jämmerlich und vorwurfsvoll: „Miauu."

Frau Thoms und Rosa wischten sich die Augen und gingen zu ihrem Spargel zurück. Ich sagte zu Dorchen, die die ganze Zeit über wie eine Salzsäule dabeigestanden hatte: „Das war dein Harry. Er hat Minka ersäuft. Ersäufen *wollen*!"

Dorchen fuhr auf mich los, als wollte sie mir die Augen auskratzen. Aber Klärchen sagte: „Sie hat recht. Ich hab' den Harry noch wegrudern sehen. Und im Handtuch ist das Monogramm von Meyers drüben."

Dorchen sagte keinen Ton. Sie starrte nur so vor sich hin. Als ich mit Klärchen Minka ins Haus brachte, um sie zu pflegen und zu versorgen, blieb sie im Garten.

Ich trocknete und wärmte Minka, trug sie zur Großmama und erzählte ihr alles. Sie sagte: „Ach du allerliebste Güte, das ist wirklich ein böser Bengel, wie kann er bloß so was tun. Aber das gute Klärchen." Wir beobachteten glücklich, wie Minka von Minute zu Minute gesünder wurde, wie sie sich schließlich putzte, Milch schleckte, sich noch einmal putzte und schlafen ging.

Inzwischen braute sich unten neues Unheil zusammen. Überhaupt: Was sich in diesen Tagen an ungewöhnlichen und aufregenden Ereignissen abspielte, hätte gut für ein paar Monate gereicht.

Sonntags wurde um eins gegessen, und zwar versammelte sich die ganze Familie, also auch Dorchen und ich und die Großmama, meist aber auch Onkel Carl, die Großeltern Neander und seit Weihnachten Herr Uhl, im Eßzimmer um den lang ausgezogenen Tisch.

Um halb eins ging ich mit der Großmama hinunter in den Salon. Ich hatte Dorchen nicht mehr gesehen und auch nicht weiter darüber nachgedacht, wo sie geblieben war. Wir kamen gerade zurecht, um zu sehen, wie sich das Unwetter entlud.

Es war fast wie im Theater. Auf Stühlen und Sesseln saßen sie alle in Sonntagsgewändern in einer Art Halbkreis und waren Zuschauer. In der Mitte unter dem Kronleuchter auf dem geblümten Teppich wie auf einer Bühne standen sich der Vater und Dorchen gegenüber.

„Vater", rief Dorchen, „Harry hat unsere Minka ersäufen wollen. Harry ist ein Schuft. Du mußt ihm was tun. Du mußt ihn mit einem Stock verhauen. Ich will ihn nie mehr sehen. Wenn er hier wohnen bleibt und keine Strafe kriegt, dann laufe ich weg."

Dorchen sah schlimm aus. Sie hatte sich offenbar herumgeprügelt. Die Kante ihrer weißen Sonntagsschürze war abgerissen, und ihre Zopfschaukel hing buchstäblich nur noch an einem Haar. In ihrem Gesicht klebte tränenverschmierter Schmutz.

„So", sagte der Vater. „Also Harry ist der Bösewicht. Das mag ja sein. Ich habe diese Meyers nie leiden können. Aber *du* hast ihn dir doch ausgesucht, du hast doch alles nachmachen müssen, was er dir vorgemacht hat. Du bist ein Mädchen, warum mußt du dich mit einem solchen Jungen befreunden, der nichts als wilde Streiche im Kopf hat? Hättest du dir keine Freundin suchen können?"

Dorchen zerrte in ihrer Erregung an ihrer zerrissenen Schürze, daß es ratschte. Großmutter Neander verdrehte die Augen und hob die Hände gegen die Ohren.

„Als wir vorhin aus der Kirche kamen", sagte der Vater, „hat uns Frau Meyer angesprochen. Ich bin überzeugt, sie ist nur zur Kirche gegangen, um uns zu treffen. Weißt du, Dorothea, was sie mir erzählt hat?"

„Das von Harry und Minka etwa?"

„Dummes Zeug. Du weißt sehr wohl, was sie mir erzählt hat. ‚Ihr Dorchen, Herr Asmussen', hat sie gesagt, ‚die soll ja gestern eine Vorstellung gegeben haben. Mein

48

Harry hat mir's beschrieben. Sie ist um den Sims an Ihrer Hauswand balanciert, fünf Meter über dem Fußboden, einfach so mit blanken Händen und Füßen, es sah lebensgefährlich aus. Ein Menschenauflauf hat sich auf der Straße gebildet. Sie könnte glatt zum Zirkus gehen und auf dem Seil tanzen, das Kind!' – So", sagte der Vater. „Nun weißt du, was mir Frau Meyer erzählt hat. Nun frage ich dich: Ist das wahr?"

„Ja, das ist wahr", antwortete Dorchen in einem Ton, der überhaupt nicht schuldbewußt klang. „Es war gar nicht gefährlich, ich habe es vorher geübt und ausprobiert. Und höchstens sechs Leute haben unten gestanden. Aber was machst du jetzt mit Harry, Vater?"

Der Vater hatte das letzte sicher gar nicht gehört. Er wurde immer röter vor Ärger und beugte sich vor, um Dorchen näher ins Gesicht zu sehen.

„Du findest also gar nichts dabei, solche Streiche zu machen, die deine Eltern in Todesangst versetzen? Bei denen du dich in Lebensgefahr bringst? Du schämst dich nicht einmal jetzt, wo es herausgekommen ist?"

Dorchen sah genauso wütend aus wie der Vater. Sie trat einen Schritt zurück, stampfte mit beiden Füßen auf und rief: „Es ist doch ganz egal, ob ich auf den Sims geklettert bin. Ich *bin* ja nicht heruntergefallen. Aber Harry, der hat Minka *wirklich* ins Wasser geworfen, er wollte sie totmachen, der gemeine Schuft, bloß zum Spaß. Das ist doch schlimmer als der dumme Sims. Ich will, daß er seine Strafe kriegt, eine schlimme Strafe. Und wenn du ihm nichts tust, Vater, dann klettere ich noch mal auf den Sims und auf das Dach und auf den Rathausturm."

Dorchen rief das alles, oder besser: sie schrie es ihrem Vater ins Gesicht.

Der holte aus und gab ihr eine kräftige Ohrfeige.

Mutter, Anna, Lisa, Magda und die Großmama, wahrscheinlich ich auch – wir machten alle dieselbe Bewegung: Wir hoben unsere Hand an den Mund vor Schreck.

Gar nicht hauptsächlich wegen der Ohrfeige, obgleich es in unserem Hause nicht üblich war, die Kinder zu schlagen, und schon gar nicht sonntags vor dem Mittagessen. Nein, wir beobachteten, welche Wirkung die Ohrfeige auf Dorchens Frisur ausübte: Die Zopfschaukel, die vorher schon halb abgerissen war, fiel herunter, und das abgeschnittene Haarbüschel breitete sich über Dorchens eine Gesichtshälfte.

Ich glaube, der Vater dachte einen Augenblick lang, er habe Dorchen einen Zopf abgeschlagen, so entgeistert blickte er auf ihren Kopf. Aber er begriff sehr schnell, wie es wirklich war. Er fing aufs neue an zu schimpfen und zu wettern, sagte, Dorchen habe sich aus Trotz und Frechheit die Haare abgeschnitten und sich so zugerichtet, daß er sich für sie schämen müsse; sie solle die ganze kommende Woche gleich nach der Schule Zimmerarrest haben und er wolle sie längere Zeit nicht mehr sehen, weil er sich schon wieder so sehr über sie habe ärgern müssen.

An dieser Stelle trat die Großmama zu Dorchen, legte ihren Arm um sie und sagte zu meinem Vater: „Friedrich, das geht zu weit. Siehst du nicht, in welchem Zustand das Kind ist?" Und zu Dorchen sagte sie: „Komm, meine Kleine, wir wollen einmal sehen, wie es Minka geht." Damit führte sie Dorchen aus dem Zimmer.

Als ich später nach oben kam, weinte und weinte Dorchen und ließ sich nicht trösten, nicht von der Großmama, nicht von der Mutter, nicht von mir. Sie wiederholte immer zwei Sachen. Erstens: sie hätte das von Harry nie gedacht, daß er so gemein sein könnte. Nicht nur hatte er das Kätzchen umbringen wollen, sondern schon am vorigen Abend, gleich nach Dorchens Kletterpartie, hatte er Dorchen bei seiner Mutter verpetzt, damit die es den Eltern weitersagte. Das zweite, worüber Dorchen sich gar nicht beruhigen konnte, war die Ansicht, die der Vater von der ganzen Sache hatte. Konnte der denn nicht unterscheiden, was böse und was weniger böse war? Warum half er Dorchen nicht, als sie ihn brauchte?

Sie hatte morgens im Garten Harry aufgelauert, bis er in seinem Boot angefahren kam, sich auf ihn gestürzt und ihn zu verprügeln versucht, aber sie hatte nicht viel gegen ihn ausgerichtet. Er hatte ihren Arm festgehalten und höhnisch gerufen: „Warte nur, du kriegst schon noch dein Fett."

Nun sah es ja fast so aus, als habe sich der Vater mit Harry verbündet, um sie zu quälen.

Dorchen weinte auch noch in der Nacht. Ich hörte sie schluchzen.

3. Kapitel

Am nächsten Mittag, als die Schule aus war, schickte Dorchen mich allein nach Hause.

„Sag, ich komme etwas später. Ich muß noch mit Paula gehen und ein Buch holen", erklärte sie. Sie sah gar nicht mehr so finster und traurig aus wie am vorigen Abend. Ich war froh.

Nach zwei Stunden war Dorchen immer noch nicht zu Hause. Wir fingen alle an, uns sehr zu ängstigen. Klärchen lief zur Wohnung von Paulas Eltern, aber da war Dorchen nicht, überhaupt nicht dagewesen, sagte Paula, nur begleitet habe sie sie ein Stück. Dann sei sie Richtung Stadt weitergegangen. Nachdem Klärchen uns das gemeldet hatte, ging sie wieder los, „Richtung Stadt", um Dorchen zu finden; auch Rosa, Frau Thoms und die Zwillinge machten sich auf die Suche.

Der Abend kam, und Dorchen kehrte nicht heim. Die Eltern waren in furchtbarer Sorge, die Großmama sah meinen Vater vorwurfsvoll an, und in der Küche heulten

Frau Thoms, Rosa und Klärchen um die Wette, weil sie sich gegenseitig einredeten, Dorchen sei von Zigeunern verschleppt oder umgebracht worden. Keiner mochte schlafen gehen, die Eltern blieben die ganze Nacht unten, und am nächsten Morgen früh meldete der Vater der Polizei, daß seine Tochter verschwunden war.

Unsinnigerweise hoffte ich, Dorchen würde morgens in der Schule auftauchen. Ich hielt für möglich, daß sie sich aus Trotz bei einer Freundin versteckt hatte und nun wieder zum Vorschein kam, nachdem sie uns alle und vor allem den Vater gehörig geängstigt hatte. Ich hatte mich leider getäuscht. Auf dem Heimweg hoffte ich, sie sei vielleicht inzwischen nach Hause gekommen. Aber kein Dorchen erwartete mich mittags in unserem Zimmer im zweiten Stock, nur die Großmama mit traurigem Gesicht. Wir sprachen von nichts anderem beim Mittagessen, und ich erzählte der Großmama allerlei, auch daß Dorchen mal hatte zur See gehen wollen, als Schiffsjunge.

„Deswegen hatte sie sich ja schon den Zopf abgeschnitten", sagte ich.

Nachmittags mußte ich noch einmal zur Schule, zum Turnen. Auf dem Weg ging mir manches durch den Kopf, und ich wünschte immer dringender, mit Krischan zu reden. Der wußte ja überhaupt noch gar nichts! Nichts von dem Sims, von der ersäuften Minka, nichts von dem großen Krach und von Dorchens Verschwinden. Es war wirklich notwendiger, Krischan das zu berichten, als turnen zu gehen. Also wich ich von meinem Schulweg ab und wanderte durch die Straßen – eine gute halbe Stunde weit – zu Krischans Wohnung. Er wohnte nicht in so einer schönen Gegend mit Bäumen und Gärten und Kanälen wie wir, sondern in einem großen grauen Mietshaus, das mit vielen andern an einer grauen Straße stand.

Krischan machte mir die Tür auf, wie ich erwartete. Seine Mutter war ja noch zur Arbeit. Er sah mich erstaunt an, dann wurde er ganz rot.

„Gretchen?" sagte er laut – wozu sprach er so laut? Da öffnete sich hinter ihm die Zimmertür, und jemand trat aus dem dunklen Flur neben ihn, ein anderer, kleinerer Junge in kurzen Hosen, Kniestrümpfen, einer braunen Jacke, und auf seinen Schultern saß ihm Dorchens lachendes Gesicht unter blondem, kurzem Jungenshaar.

„Ach du allerliebste Güte", sagte ich, als ob ich die Großmama wäre. Aber was anderes fiel mir nicht ein.

Jetzt lachte Krischan auch, sie zogen mich ins Zimmer, und ich fing an, mich schrecklich zu freuen, daß Dorchen gesund und lebendig war, daß nun alles wieder gut werden würde und alle aufhören dürften, sich zu ängstigen.

Da hatte ich mich *wieder* getäuscht.

„Was denkst du bloß", sagte Dorchen. „Jetzt, wo ich so ein schöner Junge geworden bin, soll ich wieder nach Hause? Bei dir piept es wohl!"

„Aber sie werden kommen und dich holen. Vater hat schon die Polizei alarmiert. Sie suchen dich doch überall."

„Bloß sie finden mich nicht", lachte Dorchen. „Morgen oder übermorgen geh' ich los, runter zum Hafen, auf ein Schiff nach China oder Amerika als Schiffsjunge."

„Tu das nicht", flehte ich. „Die Mutter weint schon jetzt so doll, und die Großmama ist so traurig. Und was soll *ich* ohne dich machen?"

„Das ist mir ganz egal", sagte Dorchen. „Ich gehe jedenfalls zur See. Denk bloß, wie man da auf der Takelage herumklettern kann, nein, man *muß* sogar, und der Wind pfeift, und die Möwen schreien. Jetzt, wo ich ein Junge bin, geh' ich doch nicht wieder in das Zimmer zurück, wo der Puppenwagen steht und überall Schürzen hängen. Und in die Schule! Stell dir mal vor, Gretchen, ich käme so in die Schule!"

Das war allerdings eine komische Idee. Unter den dreihundert Mädchen in unserer Schule hätte Dorchen in ihrem jetzigen Zustand gewirkt wie ein Specht in einem Taubenschwarm.

So redeten wir hin und her, mehr als eine Stunde lang. Krischan und ich, wir kannten Dorchen. Wir wußten, was möglich war und was nicht. Wir konnten nicht wagen, Dorchen zu verpetzen. Sie wäre uns nie wieder gut geworden. Es hatte auch keinen Zweck, ihr zuzureden, sie solle nach Hause zurückkehren. Sie wollte einfach nicht, und damit basta. Es blieb uns nur übrig, ihr den Schiffsjungenplan auszureden. Wer weiß, was aus ihr geworden wäre, hätte sie damals tatsächlich versucht, sich auf ein Schiff zu schleichen. Womöglich wäre sie erwischt und den Eltern zurückgebracht worden, aber dessen konnte man bei Dorchens Kühnheit und Geschicklichkeit nicht sicher sein.

„Ich wüßte jemand, wo du eine Weile hingehen kannst und ein Junge sein und wo es auch schön ist", sagte Krischan. „Tante Geesche. In den Vierlanden."

„Quitsch-Quatsch", antwortete Dorchen. „Zu einer Tante will ich nicht. Und in den Vierlanden ist es sicher langweilig."

Da erzählte Krischan. Tante Geesche war nicht seine Tante, sondern die Tante seiner Vettern. Sie war ziemlich alt und nicht mehr ganz richtig im Kopf. Sie wohnte in einem Häuschen in Kirchwerder. Er fand es sehr schön da, wunderbar zum Spielen und zum Bootfahren.

„Dann gehst du hin und sagst, du bist ihr Neffe aus Barmbek. Willst die Sommerferien über bleiben. Die merkt nichts."

Dorchen fing an, sich zu interessieren. Das hörte sich ganz spaßig an, so eine alte, tüdelige Tante hinters Licht zu führen.

„Gretchen, komm mit", sagte sie auf einmal. „Krischan schneidet dir auch die Haare und sucht dir altes Zeug von sich zum Anziehen. Dann bin ich nicht so alleine. Dann haben wir einen dollen Jux bei der alten Gee-sche."

„Du nennst dich Theo, und Gretchen nennt sich Max", sagte Krischan. „So heißen zwei von meinen Vettern. Manchmal sind Fohlen auf der Weide. Ich bin einmal auf ein Pferd geklettert."

Krischan versuchte jetzt, Dorchen für die alte Geesche und die Vierlande zu begeistern, das war klar. Und ich sollte mit, das wünschte Krischan auch.

„Gretchen, geh du man mit, dann seid ihr zwei", sagte er. „Dann könnt ihr euch gegenseitig helfen." Er sah mich ernsthaft an, und ich verstand, was er nicht aussprach. Er wollte, daß ich auf Dorchen aufpassen sollte.

Kurz und gut, sie überredeten mich. Zum Schluß erschien es mir ganz vernünftig, was wir vorhatten. Was heißt auch „vernünftig"? Wenn man von allen Möglich-keiten die beste aussucht, das ist doch wohl vernünftig.

Ich stellte allerdings eine Bedingung: Die Eltern und die Großmama mußten soweit beruhigt werden, daß sie nicht vor Angst und Kummer den Verstand verloren, wenn nun auch noch ein zweites Kind verschwand. Darauf einigten wir uns.

Ich war sehr aufgeregt, als ich „vom Turnen" heimkam. Glücklicherweise beachtete mich niemand be-sonders, weil alle nur an Dorchen dachten; so fiel mein Zustand nicht auf. Diesen Abend wirtschaftete ich lange in unserem Zimmer herum, und beim Gutenachtsagen war mir sehr nach Heulen zumute, aber es fand niemand etwas dabei. Sie hätten sich wohl eher gewundert, wenn ich vergnügt gewesen wäre.

Ich muß schlecht geschlafen und schlimm geträumt haben in dieser Nacht, denn am Morgen fühlte ich mich noch elender als am Abend vorher. Als meine Mutter mir auf Wiedersehen sagte, drückte sie mich weinend an sich mit den Worten: „Ach, mein kleines Gretchen, wenig-stens haben wir *dich* noch."

Auf dem Schulweg faßte ich dann den Entschluß, nicht mit auszureißen und Dorchen, koste es, was es wolle, zurückzubringen. Da wurde mir wohler; und nach der Schule machte ich mich eifrig auf den Weg zu Krischan, wie wir verabredet hatten. Ich war schon um zwölf Uhr dort, denn mittwochs hatten wir früh aus. Krischan war an dem Tag gar nicht zur Schule gegangen.

Sie standen beide schon an der Tür, als ich mit meiner Tasche die Treppe heraufgeeilt kam.

„Schnell, schnell, um eins geht der Ewer* ab", sagte Dorchen, zog mich auf einen Stuhl in der Küche und legte mir ein Handtuch um die Schultern. Kirschan langte nach einer großen Schneiderschere, und ehe ich überhaupt etwas sagen konnte – ich war so überrascht und überwältigt –, hatte er mir schon meine beiden Zöpfe abgeschnitten.

„Heul nicht", sagte Dorchen ohne viel Mitgefühl, „ich fand mich auch zuerst etwas komisch ohne Haare."

„Laß man, Gretchen, gleich mache ich dir einen eleganten Haarschnitt", tröstete Krischan. Er kämmte meine gestutzten Haare nach allen Seiten herunter, stülpte mir einen Topf auf und schnitt alles ab, was heraushing, schön rund und gerade um den Kopf und die Stirn. Dann hatte er doch tatsächlich eine richtige Friseurmaschine in der Hand und schor mir den Hinterkopf. Das Ganze dauerte höchstens zehn Minuten, er hielt mir einen Spiegel vors Gesicht, und ich staunte mich an.

Derweil hatte Dorchen den Inhalt meiner Schultasche untersucht. Sie fand unsere Spardosen, ihre beiden Taschenmesser, mein Zeichenbuch mit Buntstiften und zuunterst – Meta.

Während sie mir beim Umziehen half, schimpfte sie mich wegen Meta. Aber sie verlangte nicht, ich solle sie zurücklassen, ich machte wohl einen zu jämmerlichen

* ein kleineres Frachtsegelschiff

Eindruck. Krischans Unterzeug und Hose und Jacke von früher, die er für mich zusammengesucht hatte, waren sauber, aber abgetragen und geflickt. Wahrscheinlich hatte er selbst sie schon von einem seiner Vettern geerbt. Unsere Stiefel behielten wir an.

Unterdessen leerte Krischan den Inhalt unserer Spardosen in sein eigenes hübsches Lederbeutelchen, das er uns schenkte. Unser Reisegepäck bestand aus meiner Schultasche, in der noch ein bißchen Unterwäsche und zwei Hemden über Meta und dem Zeichenzeug verstaut wurden. Dann ging es los zur Straßenbahn, denn in einer halben Stunde fuhr der Ewer ab.

Unsere Straßenseite lag in der hellen Mittagssonne. Mir war, als träumte ich einen schrecklichen Traum. Ich konnte kaum meine Füße heben, so sehr schämte und fürchtete ich mich, in diesem Aufzug vor allen Leuten herumzuspazieren. Gottlob waren um diese Zeit kaum Leute unterwegs. Zufällig sah ich aber in einer Schaufensterscheibe drei Jungen gespiegelt, die die Straße entlangeilten, einen großen und zwei kleinere. Ganz richtige, normale Jungen, jeder mit einer Jungensmütze auf dem Kopf, und der erste trug eine Tasche. „Das sind wir", fiel mir ein. „Das bin ich, der kleine, den Krischan an der Hand führt. Ich bin ein richtiger Junge wie andere auch. Keiner kann sehen, daß ich Gretchen Asmussen bin. Ich bin Max, und wir fahren jetzt mit dem Ewer die Elbe hinauf zu der alten Geesche in den Vierlanden."

Plötzlich konnte ich laufen, so gut wie Dorchen, die vornewegrannte, und Krischan mit seinen langen Beinen.

Auf dem Gemüsemarkt am Meßberg war ein richtiges Getümmel. Die Bauern räumten schon ihre Stände ab, um nach Hause zu fahren, schleppten leere Körbe und Kiepen in ganzen Stapeln. Alles drängte hinunter an den langen Landungssteg. Dazwischen gingen die Polizisten, Konstabler genannt, die die Marktaufsicht führten, und sahen zu, daß Ruhe und Ordnung herrschten. Vielleicht schauten sie auch nach einem vermißten Mädchen namens Dorchen Asmussen aus, das ein blau-weiß gestreiftes Matrosenkleid, eine blaue Schulschürze und einen Strohhut trug, aber sie sahen keins. Sie sahen höchstens einen ziemlich wilden Jungen, der vor zwei andern herrannte, den beladenen Marktleuten vor die Füße lief und ungezogen lachte, als ein Stapel Körbe herunterfiel.

„Laß das, Theo", sagte Krischan streng. „Sonst wirst du vom Konstabler eingesperrt!"

Er führte uns zu einem Stand, der von einer hübschen Vierländer Bäuerin gerade leergeräumt wurde. „Sein Sie so gut, Frau Beu, und nehmen Sie meine Vettern mit nach Kirchwerder. Sie wollen zu Tante Geesche, Geesche Wiebers, und die Ferien über dort bleiben", sagte Krischan in schönstem Platt.

Die Frau lachte freundlich, wir sollten nur kommen, wir hätten es wohl nötig, so spillerig und bleich, wie wir wären. Sie drückte Dorchen und mir je einen leeren Korb in die Hand, Krischan winkte uns zu, flüsterte: „Seid vorsichtig und schreibt regelmäßig", dann eilten wir hinter Frau Beus kurzem grünem Rock und schwarzen Strumpfbeinen her auf den Landungssteg.

Unser Ewer legte ab, der ganze Oberhafen wimmelte jetzt von braunen Segeln und tönte von Möwengeschrei und den Rufen der Ewerführer und der Marktleute. Wir saßen auf zwei umgestülpten Körben und fühlten uns herrlich – nicht nur Dorchen, ich auch –, wie man sich

eben fühlt, wenn man abfährt, hinein ins Abenteuer. Alles war nicht mehr schlimm, ich hatte Dorchen, Dorchen hatte mich, wir konnten zur alten Geesche, und heute nachmittag um halb fünf würde Großmama meinen Brief finden.

Das hatte ich mir nämlich gut ausgedacht. Der Brief sollte erst gefunden werden, wenn wir Hamburg schon verlassen hatten. Ich hatte ihn abends in Großmamas weiß-blaue Teekanne gesteckt, die nur am Nachmittag benutzt wurde. Ich konnte ja nicht ahnen, daß an diesem Nachmittag niemand in unserem Hause an Teetrinken dachte, nachdem auch ich verschwunden war. Erst am nächsten Tag fand Großmama meinen Brief.

Liebe Großmama, hatte ich geschrieben, *bitte, bitte ängstigt Euch nicht mehr. Ich bin nun leider auch weg, weil ich mit Dorchen muß. Sie geht aber nicht zur See, darauf könnt Ihr Euch verlassen. Ich passe schon auf sie auf, bis sie wieder heimkommt. Sie läßt auch schön grüßen. Wir werden ab und zu schreiben.*

Viele Grüße
Gretchen

Der gute Krischan. Er hatte uns Butterbrot mitgegeben, sonst hätte ich wohl großen Hunger gelitten. Frau Beu schenkte jedem eine Handvoll Erdbeeren, die sie noch im Korb hatte, und einen schönen grünen Kohlrabi. Dorchen kriegte stolz ihr großes Taschenmesser aus der Hosentasche – sie ging mit ihren Hosen um, als hätte sie nie Röcke getragen – und schälte die Kohlrabi ab. Frau Beu redete Platt mit uns, und wir antworteten, so gut es ging. Wir fuhren nun schon auf der großen, breiten Norderelbe, die Sonne glitzerte auf dem Wasser, der Wind schmeckte nach Fluß, die Leute waren vergnügt, denn sie hatten gute Geschäfte gemacht und konnten sich jetzt ein bißchen ausruhen und das schöne Wetter genießen. Hellblau war der Himmel, grün die Ufer, hier und da sah man Dörfer oder einzelne Häuser liegen. Wir bogen in einen schmaleren Arm der Elbe ab, dann in einen noch schmaleren. Zum Schluß war der Wasserlauf nicht viel breiter als eine Landstraße. Immer grüner wurden die Ufer, bis wir auf einer Art Graben, der flach und still zwischen Gemüsefeldern und Koppeln sich hinzog, mitten in ein großes Dorf hineinfuhren.

Ich sollte lieber sagen, in ein *langes* Dorf. Es schlängelte sich auf seinem Deich endlos an dem Elbarm entlang, und wir mußten in der heißen Nachmittagssonne eine ziemliche Weile laufen, bis wir ein Häuschen fanden, das so aussah, wie Frau Beu es uns beschrieben hatte, nämlich die Kate der alten Geesche. Man kletterte ein Treppchen vom Deich hinunter, um zur Haustür zu kommen. Ein winzig kleiner Garten voll mit Rittersporn lag unter den beiden Fenstern. Neben der offenen Tür auf einer Bank saß eine alte Frau und bündelte Radieschen. Sie sah merkwürdig aus. Ich wußte im ersten Augenblick gar nicht, wieso. Sie trug eben die schwarze Vierländer Haube mit der großen, steifen Schleife am Hinterkopf und ein schwarzes, kurzes Arbeitskleid. Aber sie blickte uns so eigentümlich an, als habe sie uns erwartet, und dabei rauchte sie Tabak aus einer langen Pfeife.

Ich hielt mich hinter Dorchen und ließ vorläufig das Treppengeländer noch nicht los, so daß ich gleich hätte wegrennen können.

„Guten Tag, Tante Geesche", sagte Dorchen munter (auf plattdeutsch), „wir sind Theo und Max Kröger aus Barmbek. Wir möchten gerne die Ferien über bei dir wohnen, wenn es dir nichts ausmacht. Wir sollen auch von Krischan grüßen. Krischan Kröger. Seine Mutter ist Schneiderin."

Die alte Geesche paffte vor sich hin und bearbeitete, ohne die Augen von uns abzuwenden, die Radieschen. Sie hatte einen Korb mit fertigen Bündelchen neben sich

stehen, aber jetzt griff sie immer noch ein Radieschen und noch ein Radieschen, bis sie schon fast ein ganzes Pfund in der Hand hatte. Dann fing sie an, Garn darumzuwikkeln, immer mehr und immer mehr. Dazu paffte sie ihre Pfeife.

„Krischan sagt, hier kann man schön spielen", redete Dorchen weiter, die sich schon etwas ungemütlich fühlte. „Er sagt, es gibt auch Pferde hier, und man kann Boot fahren. Können wir denn nun hierbleiben?"

Die alte Geesche wickelte immer noch mehr Garn um das große Radieschenbündel. Dorchen wußte nichts mehr zu sagen. Da ließ ich plötzlich das Treppengeländer los, ging zur Bank, setzte mich neben die alte Geesche und nahm ihr das Ungetüm von Radieschenbund aus der Hand. Ich wickelte das ganze Garn wieder ab und bündelte die Radieschen neu, immer hübsch zehn zusammen und ein Endchen Garn darum. Die alte Geesche sah mir zu, nahm die Pfeife aus dem Mund und lachte.

„Krischan und Theo Kröger", sagte sie. „Aus Barmbek."

„*Max* und Theo", verbesserte ich. „Ich bin Max. Wo sollen wir schlafen?"

Sie stand auf, faßte mich am Arm und führte mich in den Hausflur. Beinahe wäre ich auf einen riesigen grauschwarzen Kater getreten, der auf einem leeren Sack im Schatten lag. Dorchen wollte ihn streicheln, da tatzte er nach ihr, daß ihre Hand blutete.

In der kleinen Kammer stand ein Bett mit einem dicken, rot-weiß gewürfelten Federbett darauf. Eine Kommode war auch da.

„Hier", sagte die alte Geesche. Und dann fragte sie mich: „Wie heißt du, Deern?"

Ich fuhr zusammen, und Dorchen schubste mich.

„Max", sagte ich sehr laut. „Ich bin ein Junge."

„Max", murmelte die alte Geesche im Hinausgehen. „Die kleine Deern heißt Max."

„O weh", flüsterte ich, als sie draußen war, „sie hat's gleich gemerkt. Was machen wir nun?"

„Schadet nichts", flüsterte Dorchen zurück. „Sie ist ja tüdelig. Da glaubt ihr keiner. Jeder sieht doch, daß wir Jungen sind."

So wohnten wir nun bei Tante Geesche. Wir schliefen beide unter dem großen Federbett, und morgens aßen wir alle drei Milchsuppe. Wir kriegten ganz schnell heraus, wie wir mit der guten alten Geesche umgehen mußten. Wenn wir in die Diele kamen, wo sie die Suppe über dem Feuer rührte, betrachtete sie uns unverwandt, so daß die Suppe anbrannte oder überlief. Wenn wir aber nicht erschienen, ehe die Suppe fertig war, geriet sie gut, denn dann war die alte Geesche beim Kochen nicht durcheinandergebracht worden.

Zu mir sagte sie ein für allemal: „Max, min lütte Deern". Zu Dorchen sagte sie „Theo", aber sie schüttelte immer den Kopf dabei.

Als sie merkte, daß wir keine Nachthemden hatten, holte sie aus ihrer Kommode zwei schöne neue Jungensnachthemden heraus, mit bunten Borten um den Kragen und um die Ärmel.

„Von meinem Klaus", sagte sie. „Nehmt man und zieht sie an, lütte Deerns, ihr könnt ja nicht in den ollen Unterhosen schlafen." Dann schüttelte sie wieder den Kopf, daß die schwarze Schleife an ihrer Haube wackelte.

Tante Geesches Kate befand sich neben einem der gewaltigen Bauernhäuser, die die Dorfstraße säumten. Es hatte natürlich ein Reetdach und war bestimmt vierzig Meter lang. Die Giebelseite lag gegen die Straße und zeigte fünfzehn große Fenster: sieben zu ebener Erde, fünf im ersten Stock und drei unter dem Dachzipfel. Das Haus war schön verziert und mit einem Spruch bemalt, der auf dem Balken über den fünf Fenstern entlanglief.

Dort wohnte die Familie Reimers. Hinter dem Haus hatten sie ihr Land, einen langen, langen Streifen, durch den sich mehrere lange, lange Gräben zogen. Dieses herrliche Ackerland, das eigentlich aus Elbschlamm bestand, war zum größten Teil bestellt mit Erdbeerbeeten, Gemüse und Blumen. Weiter hinten lagen Weiden für Kühe und Pferde. So war es bei fast allen großen Bauernhöfen in Kirchwerder.

Als wir drei Tage bei Tante Geesche gewohnt, etwas herumgespielt und die Gegend erforscht hatten, kam Frau Reimers herüber und fragte, ob wir arbeiten wollten. Nämlich: Erdbeeren pflücken, in Körbe sortieren, Erbsen pflücken, Radieschen bündeln. Bei diesen Arbeiten sollten wir ein paar Stunden jeden Tag helfen. Es war Haupterntezeit, und wer konnte, mußte mit anfassen.

Dorchen spürte keine große Lust auf Arbeit. Hinten auf einer Koppel hatte sie schöne, glänzende Pferde entdeckt und wünschte sich, eins zu besteigen und herumzureiten. An der schmalen Elbe hatte sie Jungen beobachtet, die im Wasser planschten und sich Flöße aus Brettern bastelten. Mit denen wollte sie spielen. Am ehesten war sie noch zum Erdbeerpflücken bereit, weil sie sich das leicht und lustig vorstellte, und vor allem, weil sie die schönsten Erdbeeren selber essen wollte.

„Ihr kriegt Eier, Butter und Speck dafür, sonntags Butterkuchen und jeder dreißig Pfennig", sagte Frau Reimers. „Davon könnt ihr eurer Tante Geesche ein bißchen Kaffee kaufen, den trinkt sie so gern."

Anstatt auf Dorchens Meinung zu warten, erkundigte ich mich, wann wir anfangen sollten. Ich wollte zu gern der alten Geesche Kaffee schenken.

Wir hatten beobachtet, wie sie so lebte. Alles, was wir aßen, kam vom Reimershof. Da hatten sie und ihr verstorbener Mann früher im Dienst gestanden. Morgens holten wir Milch in einem Topf und kriegten einmal drei Eier mit. Davon machte Geesche Eierkuchen. Am zweiten Tag gab uns Frau Reimers ein halbes Brot.

65

Abends aßen wir immer eine Schnitte Brot mit Schmalz. An den meisten Tagen gab es mittags Pellkartoffeln mit dicker Milch.

Einmal kroch die alte Geesche unruhig überall herum und suchte. Sie guckte in jede Schublade und in jeden Napf. „Wo ist denn bloß mein Tabak?" brummelte sie vor sich hin

Ja, der war alle. Nun konnte sie ihre Pfeife nicht mehr stopfen und war traurig. Tabak kriegte man auf dem Reimershof nicht.

„Soll ich zum Krämer gehen, dir Tabak holen?" fragte ich.

„Kein Geld, Max, min Deern, kein Geld", antwortete sie.

Die alte Geesche hatte überhaupt kein Geld! Keinen Pfennig! Daß so was möglich war. Daß es erwachsene Leute gab, die überhaupt kein Geld besaßen. Die Leute, die wir bisher kennengelernt hatten, hatten alle Geld, höchstens verschieden viel und in verschiedenen Portemonnaies. Mein Vater hatte sicher viel Geld, Frau Kröger weniger. Großmama trug ihr Geld in einem perlengestickten Beutelchen, Mutter ihres in einem roten Ledertäschchen. Klärchen bewahrte ihr Geld in einem zusammengeknoteten bunten Taschentuch auf. Unser Geld war zuerst in unseren Sparbüchsen und jetzt in Krischans Lederbeutel.

Nur die alte Geesche besaß gar kein Geld.

Ich ging doch zum Krämer und holte Tabak. Ich nahm fünfzig Pfennig aus unserm Beutel mit. Dafür kriegte ich ein ganzes Päckchen und noch Geld heraus. Tante Geesche freute sich und küßte und streichelte mich.

Dorchen sah ein, daß wir was Besseres zu essen bekämen, wenn wir arbeiten gingen. Wir erinnerten uns beide sehnsüchtig an unsere Frühstücks-Honigbrötchen zu Hause, an unser Mittagessen mit Gemüse und Braten, an Tee und Kuchen, an Wurst- und Käsebrot.

66

Speck, Butter, Eier und Butterkuchen war schon etwas, wofür es zu arbeiten lohnte.

Wir arbeiteten jeden Morgen und jeden Nachmittag zwei Stunden. Dorchen aß tatsächlich die schönsten Erdbeeren, aber nach einer Viertelstunde war sie erdbeersatt, und am dritten Tag hatte sie Erdbeeren über. Ich aß immer mal eine zwischendurch und sah zu, daß ich mein Körbchen schnell füllte. Zwei Stunden sind ziemlich lang, wenn man in der heißen Sonne auf dem Feld arbeitet. Ganz leicht ist Erdbeerpflücken auch nicht, man darf sie nicht drücken, nicht vom Stengel reißen, man muß die richtigen pflücken und die andern noch hängenlassen und darf die Pflanzen rechts und links nicht zertrampeln. Ich fand mich ganz gut zurecht, aber Dorchen stellte sich ziemlich ungeschickt und ungeduldig an. Sie schimpfte und riß an den Pflanzen, und Frau Reimers war nicht zufrieden.

„Theo", sagte sie, „du bist doch sicher schon zehn, hast du noch nie gearbeitet? Hilfst du deinen Eltern nicht zu Hause? Wie willst du denn mal durchs Leben kommen, wenn du nichts ordentlich machst?"

Ja, ganz einfach war es gar nicht, von zu Hause ausgerissen zu sein. Aber es war doch schön und merkwürdig. Wenn wir nach dem Mittagessen unsere zwei Stunden gearbeitet hatten, konnten wir spielen. Hinten auf der Koppel weidete ein hellbraunes Pferd. Dorchen fütterte es mit Mohrrüben und streichelte ihm die Nase. Sie stieg am Koppeltor hoch und kam wirklich auf seinen Rücken.

Sie hielt sich an der Mähne fest und fiel nicht herunter, als das Pferd mit ihr davonsprang. Es sah herrlich aus, wie Dorchen als Theo mit kurzen braunen Hosen und bloßen Füßen auf einem großen, glänzenden Pferd über eine Koppel ritt, darüber ein heller, blauer, sonniger Himmel.

„Max", schrie sie, „Max! Ich reite, sieh mal, ich reite!"

Und an einem anderen Tag ruderten wir mit einem Jungen in seinem Boot ein ganzes Stück die Elbe hinauf, bis zum Ende des Dorfes, und dann wieder hinunter. Dorchen durfte rudern, der Dorfjunge war faul und gutmütig, der lag lieber im Boot und pfiff.

Jetzt bekam Dorchen, was sie sich so gewünscht hatte: ein Pferd und ein Boot.

Als wir eine Woche bei der alten Geesche wohnten, kriegten wir einen Brief von Krischan. Er war adressiert an *Theo und Max Kröger, bei Frau Geesche Wiebers, Kirchwerder Hausdeich.*

Mir wurde fast schlecht vor Aufregung, als wir ihn öffneten. Krischan erzählte:

Meine Mutter war gestern bei Asmussens zum Nähen. Sie sagt, alle sind ganz traurig und ängstigen sich um die beiden Mädchen. Nur die Großmama hat ein bißchen gelacht. Sie hat gesagt, es war lieb von Gretchen, den Brief in ihre Teekanne zu stecken. Herr Asmussen soll furchtbar böse sein. Er soll gesagt haben, wenn er Dorchen wieder eingefangen hat, schickt er sie in ein Institut in der Schweiz, damit sie endlich erzogen wird. Es ist auch eine Meldung in der Zeitung abgedruckt worden, daß zwei kleine Mädchen verschwunden sind, und wer sie findet, der bekommt eine Belohnung.

Am Ende des Briefes hatte Krischan geschrieben: *Post scriptum: Minka geht es gut, sie schläft jetzt immer bei Klärchen im Bett.*

Er war umsichtig genug gewesen, noch ein extra Briefchen für Tante Geesche einzulegen, das wir auch Frau Reimers zeigten.

Wir kauften beim Krämer eine Postkarte, einen Briefumschlag und eine Briefmarke. Die Postkarte richtete ich an die Großmama und schrieb darauf: *Liebe Großmama, wie geht es Dir? Uns geht es gut.* Dann wußte ich nichts mehr zu schreiben, Dorchen fiel auch nichts ein. Um den Raum zu füllen, malte ich noch Minka auf die Karte mit ihren schwarzen Flecken auf den richtigen Stellen. Sie guckte mit grünen Augen den Leser an, und an ihren Füßen sah man, daß sie lief. Sie war auf der Wanderschaft, so wie wir zwei. Dann schrieb ich noch: *Ich schreibe wieder. Viele Grüße von Dorchen und Gretchen.*

Wir steckten die Postkarte in den Briefumschlag, adressierten ihn an Krischan Kröger und klebten die Marke drauf. Wenn die Karte, von Krischan in den Kasten geworfen, zu Hause ankam, konnte niemand daraus entnehmen, wo wir uns aufhielten. So schlau war Dorchen, denn das Ganze war natürlich ihre Idee. – Weshalb ich nicht an unsere Eltern schrieb? Das hätte ich mich nicht getraut.

Ach, waren das schöne Tage. Die Sonne schien auf die Erdbeer- und Blumenfelder, und die Gegend duftete nach Rosen, Nelken und Levkojen. Ich habe nie wieder in meinem Leben so viele Körbe voll von Erdbeeren, Radieschen, grünen Erbsen, so viele Sträuße von bunten, frischen Blumen auf einem Haufen gesehen wie damals in Kirchwerder. Jeden Tag im Morgengrauen und an manchen Tagen auch gegen Mittag luden die Bauern ihre Waren auf die Ewer, um nach Hamburg auf den Markt zu fahren. Nachmittags und abends kamen sie mit leeren Körben zurück. Wie Bienen, die Blütenstaub und Honigseim fortschleppen und zurück zu den Wiesen fliegen, um neuen zu sammeln, so kamen mir die Leute in Kirchwerder vor.

„Weißt du, Theo-Dorchen", sagte ich einmal beim Pflücken, „vielleicht kauft Frau Thoms gerade die Erdbeeren hier, und wenn Großmama diese eine große, süße in den Mund steckt, sagt sie vielleicht: ‚Die kommt sicher aus den Vierlanden!'"

Dorchen lachte, aber ich wurde auf einmal traurig, weil ich mich fragte, zu wem Großmama das wohl sagen könnte. Denn wir zwei saßen ja nicht mehr bei ihr, wenn sie zu Mittag aß.

„Wie die Mutter wohl reden würde, wenn sie wüßte, daß wir hier immer barfuß gehen", sagte Dorchen. „Wahrscheinlich: ‚Ihr werdet euch den Tod holen.' Und wir dürften auch nicht ohne Hut herumlaufen." Dorchen ließ ihr Erdbeerkörbchen stehen, tanzte mit ihren nackten, staubigen Füßen auf der weichen Erde zwischen den Stauden auf und ab und sang: „Und keine Schürzen, keine Schürzen, keine Schul-, Sonntags-, Spielschürzen mehr!"

Ja, das stimmte. Wenn wir morgens unter dem rot-weiß gewürfelten Federbett hervorgekrochen waren, zogen wir uns Hemd und Hose an und waren fertig. Kein Leibchen brauchte auf dem Rücken geknöpft zu werden, keine Strümpfe an Strumpfbändern befestigt, keine Schnürsenkel durch unzählige Löcher gefädelt, keine langen Haare beim Kämmen geziept und in Zöpfe geflochten. Keine einzige Schleife hatten wir mehr zu binden.

Ein bißchen ängstlich war ich aber doch beim Barfußlaufen. Man konnte ja nie wissen, worauf man trat auf den Beeten und in den Wiesen. Schnecken, Regenwürmer, Ameisen, Käfer mit scharfen Kneifzangen, Hühnerdreck. Auch Frösche saßen reichlich an den Rändern der Gräben, feuchte, klebrige, patschige Frösche, denen es sicher auch keinen Spaß machte, getreten zu werden. Ich lief ziemlich zimperlich herum auf meinen nackten Sohlen, und auf den Wiesen piekten mich die harten Grashalme ganz unerträglich, bis ich lernte, daß man sich einen gleitenden Schritt angewöhnen muß, um sie flachzudrücken, wenn man darauftritt. Dorchen schien das alles nichts auszumachen. Sie rannte und sprang, verletzte sich häufig dabei, stieß sich mit den Zehen an Steinen, riß sich das Knie am Stacheldraht, geriet mit den Waden an die Brennesseln, so daß sie manchmal kurz vor dem Weinen war, so weh tat es. Aber sie weinte nicht.

Sie war ein Junge, und daran hielt sie sich.

Ach, es waren schöne Tage. Die gute Geesche machte uns mittags Bratkartoffeln mit Speck und Eiern dazwischen, und nachmittags bekamen wir ein großes Butterbrot in die Hand, wenn wir zum Spielen loszogen. Das hatten wir mit unserer Arbeit alles verdient.

Geesche freute sich ungeheuer über den Bohnenkaffee, den wir ihr kauften, und wurde immer lustiger bei all ihrer Tüdeligkeit. Ich malte sie in mein Zeichenbuch mit ihrer Haube und der Tabakspfeife, da konnte sie sich gar nicht wieder einkriegen vor Lachen, als sie das Bild sah, und steckte es hinter den Spiegel über der Kommode in der Stube.

Ihr Kater, den sie schon zehn Jahre hatte, hieß Willi. Manchmal wußte sie, daß er Willi hieß, und rief ihn bei seinem Namen, dann kam er. Aber meist hatte sie den Namen vergessen und rief einfach: „Katt, kumm, Katt, kumm!" Dann kam er nicht.

Willi war groß und dick, ein erstklassiger Jäger. Er fing, glaube ich, zehn bis zwölf Mäuse in der Nacht und zwei, drei am Tage. Außerdem aß er noch Bratkartoffeln und dicke Milch, wenn er welche kriegte. Wollte man ihn streicheln, kratzte er einen blutig. Nur von Geesche ließ er sich auf den Arm nehmen wie ein Baby und auf dem gelben Bauch kraulen.

Es waren schöne Tage. Dorchen brachte sich das Reiten bei. Während sie auf der Koppel herumritt, saß ich am Grabenrand mit meinen Buntstiften und dem Zeichenbuch auf den Knien. Anstatt der braunen Hose trug Dorchen auf meinem Bild eine feuerrote, und das blonde, zerzauste Jungenshaar um ihren Kopf ähnelte sehr den Strahlen der gelben Sonne in der Ecke meines Blattes.

Mit dem Boot war es nicht ganz so einfach. Die wenigen Kinder, die eigene Boote hatten, waren meist nicht bereit, uns darin fahren zu lassen. Und die Jungen, die sich Flöße bauten, ließen uns nicht mitspielen. Aber Dorchen gab den Plan nicht auf, auf dem Wasser zu fahren. Sie stöberte herum und fand hinter Geesches Häuschen in einem Gerümpelhaufen eine kleine Stalltür, aus guten, festen Brettern genagelt. Die schleppten wir an den Erdbeer- und Gemüsebeeten vorbei nach hinten auf die Weide. Die langen Gräben waren voll Wasser und gut zwei Meter breit. Wir ließen unsere Stalltür vom Stapel laufen, Dorchen kniete sich darauf und steuerte und stakte mit einer Bohnenstange so geschickt, daß sie auf der leichten Strömung dahinglitt. Ich konnte in meiner zimperlichen, barfüßigen Gangart kaum Schritt halten. Nach einem Weilchen traute ich mich, hinter Dorchen aufzusteigen, und die kleine Stalltür trug uns beide, ohne daß wir allzu naß wurden.

Es war wunderbar. Niemand beachtete uns an diesem Morgen da unten auf der Weide. Die größeren Kinder waren alle in der Schule, die kleineren spielten bei den Häusern. Keine besorgten Eltern verboten uns dieses und jenes, weil es zu gefährlich sei. Wir hatten früh schon zwei Stunden Erbsen gepflückt. Wir freuten uns auf die Eierkuchen, die Geesche zu Mittag backen wollte. Die Sonne schien warm, und das kühle Grabenwasser spülte über unsere nackten Füße. Jeden Vormittag fuhren wir so auf dem Graben entlang.

So vergingen zehn lange Tage mit Arbeiten und Spielen.

„Morgen um halb elf ist Kindergottesdienst", sagte Frau Reimers am Sonnabend zu uns. „Da kommt ihr vorher rüber. Artur und Hinnig, die nehmen euch mit."

Dorchen und ich guckten uns verlegen an.

„Wollt ihr etwa nicht zur Kirche?" fragte Frau Reimers. „Seid ihr etwa keine Christen? Seid ihr vielleicht Freidenker?"

„Ach wo", antwortete Dorchen. „Natürlich sind wir Christen. Nur . . ."

„Wir haben bloß so schmutzige Sachen", sagte ich und wurde feuerrot.

Was mußte Frau Reimers von uns denken. Nicht mal Sonntagskleider hatten wir, Theo und Max Kröger aus Hamburg-Barmbek. Was mußte sie bloß von unseren Eltern denken, die uns so verreisen ließen. Man sah es ihr richtig an, was sie von uns dachte. Sie schüttelte den Kopf.

„Kommt man mit rein ins Haus", sagte sie dann. Wir warteten in der Diele, während sie in eine der Stuben ging und in einer Truhe herumzukramen begann. Die Diele war kühl und dämmerig, groß und weit wie eine Halle. Ein riesiger Herd oder Kamin war da, über dem an den Balken Schinken und Würste zum Räuchern hingen. Durch die offene Stubentür konnte man die schönsten Möbel sehen, zum Beispiel ein Bett, in einem Schrank gelegen, dessen geschnitzte Türen offenstanden. Ich hätte nie gedacht, daß man in einem Schrank ins Bett gehen konnte. Alles war blitzsauber und ordentlich; auf dem Sonnenstrahl, der durch das Stubenfenster bis in die Diele ragte, tanzten nur wenige Staubfünkchen.

„Hier", sagte Frau Reimers, als sie herauskam, „hier ist altes Sonntagszeug von Artur und Hinnig. Wird euch wohl passen. Ist nicht mehr neu und schon geflickt. Das könnt ihr behalten und mitnehmen nach Hamburg. Stiefel und Mützen habt ihr ja wohl selbst."

Wir sagten artig danke schön, so daß Frau Reimers sicher dachte, wenn wir auch arme Kinder seien, so hätten wir wenigstens ein höfliches Benehmen.

Die gute Geesche schlug die Hände zusammen, als wir am Morgen in unseren neuen Kleidern aus unserer

Schlafkammer traten, um das Sonntagsmorgenbutterbrot mit Milchkaffee zu verzehren. Wir waren aber auch hübsch! Wir hatten jeder eine samtene Kniehose an, rote Strümpfe, eine rote Weste mit blanken Knöpfen und ein weißes Hemd darunter. Wir beguckten uns in Geesches Spiegel und kamen uns vor, als ob wir aufs Kostümfest wollten. Aber so gingen die Jungen hier sonntags zur Kirche.

Geesche brachte aus ihrer Kommode zwei geblümte Halstücher zum Vorschein, die sie uns umband. Ehe wir uns auf den Weg machten, gab sie mir ihr Gesangbuch und ein Blumensträußchen in die Hand. Ich legte die Blumen oben ans Treppengeländer, damit mich die Reimersjungen nicht auslachten.

Sie traten gerade aus der Seitentür, als wir bei dem großen Haus anlangten. Es waren drei: Artur, der älteste, so groß wie Krischan, Hinnig, ein Jahr jünger, schließlich Otto, der nicht größer war als ich und sicher nicht älter als sieben.

Sie trugen dieselbe Sonntagstracht wie wir, aber ungeflickt, und musterten uns spöttisch.

„Das Loch kam von der Prügelei mit Hansen Willi", sagte Hinnig und zupfte an dem Flicken auf Dorchens Knie.

Der kleine Otto zeigte mit dem Finger auf meinen Anzug und krähte: „Ich mocht' das olle Zeug von Hinnig nicht anziehen, da hat mich mein Mudder neues gegeben."

Wir waren froh, daß sie uns weiter nicht beachteten, sondern vor uns hermarschierten, bis aus den andern Häusern andere Jungen dazukamen. Mit denen lachten sie, drehten sich manchmal um und zeigten auf uns beide, die wir in ihren abgelegten Sachen hinterherzogen.

Dorchen ärgerte sich furchtbar. Sie blieb plötzlich stehen und fing an, sich die rote Weste auszuziehen, aber ich hielt ihre Hände fest und sagte leise:

„Theo, komm, wir müssen in die Kirche. Wir sind Theo und Max Kröger aus Barmbek."

Das brachte Dorchen zu Verstand. Sie knöpfte das rote Wams wieder zu, lachte, pfiff und streckte dem nächsten Lümmel, der sich umdrehte, die Zunge heraus. Dann sagte sie zu mir:

„Du kennst doch die Geschichte von der Gänsemagd. Weißt du noch, was Fallada sagte, als die Magd der Königstochter die schönen Kleider wegnahm und sie die schlechten von der Magd anziehen mußte?"

„Wenn das deine Mutter wüßte, das Herz im Leibe tät' ihr zerspringen", antwortete ich und staunte, was für gute Einfälle Dorchen immer hatte.

Ja, was hätte unsere Mutter wohl gesagt, wenn sie uns hier so gesehen hätte!

Diesen Nachmittag gingen wir mit der alten Geesche in den Zirkus. Sie war morgens nicht zur Kirche gewesen, weil sie an einem Tag nicht zwei so weite Ausflüge unternehmen konnte. Der Zirkus hatte sein Zelt im nächsten Dorf aufgeschlagen, eine Stunde weit zu Fuß. Erst hatte Dorchen gemeint, wir dürften nicht hingehen, weil Klärchen womöglich gerade ihre Eltern besuchte und mit denen auch in den Zirkus ging. Aber dann hatten wir uns gegenseitig beruhigt, wir würden eben aufpassen und uns verstecken, wenn wir Klärchen erblickten. Denn wir hatten beide große Lust auf den Zirkus. Wir wollten gern die zwei Äffchen wiedertreffen, die am Sonnabendnachmittag auf dem troddelgeschmückten Kopf eines Elefanten den Hausdeich in Kirchwerder entlanggeritten waren. Den Elefanten führte ein dunkelbrauner Mann mit einem Turban und verteilte mit der anderen Hand rosa Zettel, auf denen ein großartiges Programm angekündigt wurde. Wie man lesen konnte, war alles, was der Zirkus zu bieten hatte, einmalig, unerhört, nie dagewesen und hinreißend.

Die alte Geesche kam vor Aufregung mit ihrem Sonn-
tagsanzug durcheinander. Sie fuhr verkehrt herum in ihre
schwarze, bestickte Bluse und band sich die graue
Schürze über den Unterrock. Ich half ihr, und zum Schluß
sah sie sehr hübsch und vorschriftsmäßig aus, setzte sich
noch den gelben, komischen Hut über die Haube und ergriff – obgleich kein Wölkchen den Himmel trübte –
einen großen, blauen Regenschirm. Wir steckten unser
Geldbeutelchen ein, dazu eine Tüte mit sauren Bonbons;
dann wanderten wir los, zwei Jungen in Vierländer Sonntagstracht, zwischen sich eine tüdelige, lustige alte Vier-
länderin: den Hausdeich entlang und später auf einem
schnurgeraden Weg über grünes Land, so platt wie ein
Tisch, zum nächsten stattlichen Dorf.

Wir kauften für uns drei nicht die billigsten Plätze. Am
Vortag hatten wir 60 Pfennig Wochenlohn ausgezahlt bekommen und fühlten uns richtig wohlhabend. An der
Kasse saß eine dicke Frau; vor ihr auf dem Tisch be-
wachte ein weißer Seidenspitz den Geldkasten und bellte

jedesmal, wenn etwas hineingelegt wurde. So kamen die Besucher gleich in die richtige Stimmung.

Im Zirkuszelt roch es vielversprechend nach Holzgerüsten, Sägemehl und Pferden, die Bänke waren schon fast voll besetzt mit sonntäglich gekleideten Bauersleuten und ihren Kindern, während oben auf den Stehplätzen sich die größeren Jungen drängelten. Die Musik spielte bereits, ein Mann mit einer Ziehharmonika und eine Frau mit einer Trommel und anderem Klapper- und Klimpergerät. Das Zelt war von einem vergnügten und erwartungsvollen Lärm erfüllt.

Es war nur ein kleiner Zirkus, nicht zu vergleichen mit den großen, weltberühmten, die wir als Hamburger Kinder schon erlebt hatten: Sarrasani oder Barnum und Bailey. Aber auch dieser kleine Zirkus, der sich wie der Direktor „Rabelli" nannte, bot alles, was man von einem Zirkus erwartet. Es gab eine Seiltänzerin, einen Jongleur, Pferde und Reiter, einen Elefanten und andere Tiere, einen Zauberkünstler, Akrobaten und einen Clown. Die ganze Zeit über spielte aus Leibeskräften die Musik, und an den spannenden Stellen, etwa wenn der eine Akrobat, an den Füßen aufgehängt, um die oberste Stange des Gerüstes sauste, während die Akrobatin, mit den Zähnen an einer Stange festgebissen, sich wie verrückt um sich selber drehte – also an solchen Stellen trommelte die Musikantin nur, und man konnte die Zuschauer ächzen hören.

Jeder von uns dreien fand natürlich etwas anderes am schönsten. Da gab es vier Ziegen, die auf dem Elefanten herumkletterten. Es waren braune, kleine, langhaarige Ziegen mit geringelten Hörnerchen, und sie bestiegen den großen grauen Elefanten von hinten, als ob es auf einen Felsen ginge. Der Elefant war mit Girlanden aus belaubten Zweigen geschmückt, und kaum hatten die Ziegen seinen Rücken und Kopf erklommen, da fingen sie an zu knabbern und zu äsen. Nach ein paar Augenblicken knallte Direktor Rabelli mit der Peitsche, die Musikantin haute zwei Blechdeckel zusammen, und der Elefant erhob sich (mitsamt den vier Ziegen auf Kopf und Rücken) auf seine Hinterbeine. Noch einmal knallte die Peitsche und zischten die Becken, da trompetete der Elefant, und gleichzeitig meckerten die vier Ziegen. Dorchen und ich und alle Zuschauer lachten laut, aber die alte Geesche geriet völlig aus dem Häuschen. Sie kreischte und schüttelte sich vor Vergnügen und verlor ihren gelben Hut. Den ganzen Heimweg über sprach sie von nichts anderem als von den vier Ziegen auf ihrer komischen Weide.

Man kann sich fast denken, was auf Dorchen den größten Eindruck machte. Nein, es waren nicht die Akrobaten, die mit geschwellten Muskeln auf dem Stangengerüst ihre übermenschlichen Kraftstücke vorführten. Es war eher die Seiltänzerin. Im Kostüm einer Elfe, rosa mit Libellenflügeln, stieg sie wippend eine Strickleiter hoch und begab sich dann auf das Seil wie auf einen Sonntagsspaziergang. Aber es blieb nicht beim Entlangtänzeln, sie bekam noch Lust auf Kunststücke und Verrenkungen, sie breitete die Arme aus und berührte ihren Scheitel mit der Fußspitze; und schließlich begann sie, mitten auf dem Seil radzuschlagen, so daß sie wie ein rosa Windrädchen aussah. Dorchen verschlang sie mit den Augen, erhob sich etwas von der Bank, so als wolle sie mit – mitwirbeln und durch die Luft segeln.

Es kann aber sein, daß es die beiden Kinder waren, die Dorchen noch mehr bewunderte. Vier pechschwarze Pferdchen und drei weiße, zottige Ponys trabten um den Zirkusdirektor im Kreise und hielten sich an das, was er ihnen mit seinen beiden Peitschen zu verstehen gab. Das war schon hübsch genug anzusehen. Aber plötzlich, als seien sie vom Zeltdach herabgefallen, saßen auf einem der Pferdchen zwei Kinder, ein Junge und ein Mädchen, nicht älter als wir beide. Nachdem sie ein paarmal so herumgejagt waren, erhob sich der Junge und stieg im

Traben auf ein zweites Pferd um, stand schließlich mit seinen Füßen auf den Rücken zweier rennender Pferde, ohne sich irgendwie festzuhalten, während seine kleine Schwester, ebenfalls freihändig stehend, vor ihm herritt und ihm aus einem Körbchen Wachsblumen zuwarf, die er auffing. Das Mädchen trug ein weißes, kurzes Spitzenkleid, und seine schwarzen Locken wehten ihm um den Kopf. Sie lachte jedesmal, wenn sie eine Blume warf, und der Junge rief etwas, wenn er sie gefangen hatte. Als das Körbchen leer war, stellte sich der Junge wieder zu dem Mädchen auf das Pferd, und gleich darauf stieg sie mitten im Herumtraben ihrem Bruder auf die Schultern. So ritten sie ein paar Runden, von schneidiger Musik und dem Beifall der Zuschauer begleitet.

Dorchen war ganz rot geworden beim Zusehen. Sie vergaß zu klatschen und kam erst wieder zu sich, als von den Kindern und den Pferden kein Zipfel mehr zu sehen war.

Und ich? Was machte auf mich den tiefsten Eindruck? Mir gefiel eigentlich alles sehr gut, aber manches beunruhigte mich. Zum Beispiel sorgte ich mich um die weißen Kaninchen, die der Zauberkünstler bei den Ohren aus seinem Hut zog. Es waren lebende Kaninchen, und ich fürchtete, sie könnten in dem Hut gequetscht und erstickt werden. Mehr noch machte ich mir Gedanken über den Clown. Er gab sich die größte Mühe, das Publikum zum Lachen zu bringen: Er latschte herum, fiel über seine Schuhe, trat auf seinen Hut, stieß sich die Nase – aber er wirkte nicht besonders komisch. Man hatte gar keine Lust, über ihn zu lachen. Je weniger die Leute lachten, desto mehr strengte er sich an, komisch zu wirken, und schließlich lachten ihn die Zuschauer aus.

Ich sprach auf dem Nachhauseweg nicht von dem Clown, jedoch mußte ich im Bett eine Weile über ihn nachdenken. Ich wußte natürlich nicht, daß ich bald noch gut bekannt mit ihm werden sollte.

Der folgende Montag war nämlich, ohne daß wir es am Morgen schon geahnt hätten, unser letzter Tag in Kirchwerder. Bis zum Abendessen war alles wie sonst. Wir arbeiteten, spielten, und um sechs aßen wir mit Geesche unser Schmalzbrot. Dann gingen wir wieder nach oben auf den Hausdeich.

Um diese Zeit sind bei schönem Wetter alle Kinder draußen. Sie kriegen noch einmal richtig Lust, etwas zu unternehmen. Die Sonne steht schon tief, die Luft schmeckt nach Abend, und die Vögel singen lauter als am Tage.

Ich erblickte ein Stück weiter oben Hansen Malchen und ihre kleine Schwester. Sie hatten ihre Puppenkarre auf die Straße gebracht und hoben eben ihre Puppen heraus, um sie auf dem Arm herumzutragen. Ich dachte an Meta in der Kommodenschublade, der die frische Luft auch gutgetan hätte. Ich wäre gern mit ihr zu den Mädchen spaziert, dann hätten wir uns gegenseitig unsere Puppen gezeigt: von vorn, von hinten, die Haare, die Augen, die Kleider, die Schuhe und was sie für schönes Unterzeug anhatten. (Meta trug für die Reise ihren blauseidenen Unterrock.)

Aber das war nicht möglich. Ich mußte als Max Kröger aus Barmbek hinter Theo her auf den Reimershof, wo die drei Jungen bei der großen Buche spielten. Messerwerfen spielten sie. Sie hatten mit Kalk die Umrisse einer menschlichen Gestalt auf den Baumstamm gemalt und versuchten nun, mit ihren Messern diese Linie zu treffen. Ich fand, es sah ziemlich gefährlich aus, wie die spitzen Messer durch die Luft wirbelten und sich in die Baumrinde spießten.

„Laß mich auch mal probieren", forderte Theo-Dorchen und zog das Holzfällermesser aus der Hosentasche. Die Reimersjungen guckten erst geringschätzig, dann interessiert. Sie nahmen das Messer in die Hand, klappten alle Klingen und Werkzeuge heraus, prüften die Schärfe und nickten mit den Köpfen. Dorchens Messer war wesentlich schöner als ihre eigenen.

„Hast du wohl geklaut", sagte Hinnig dann mißgünstig, als er es zurückgab.

„Hat er geklaut", wiederholte Otto, der wie ein Papagei und Affe den Großen alles nachmachte.

Dorchen blitzte mit ihren blauen Augen. „Das habe ich von meinem Onkel Carl zu Weihnachten bekommen, und dieses hier" – wobei sie in die andere Hosentasche griff – „von der Großmama."

Nun prüften die Reimersjungen auch dieses Messerchen; man konnte erkennen, wie sie das kleine Ding bestaunten, das in einer perlenschimmernden Schale eine so haarscharfe Klinge verbarg.

Der große Artur behielt es am längsten. Er ließ es in seiner Hand verschwinden wie eine Beute. Dann legte er es zögernd auf den Hackklotz neben der Buche.

„Wer so lumpige Kleider anhat wie ihr, nicht mal Sonntagszeug, und wer für sein Essen auf dem Feld arbeitet ..." Er wußte wohl nicht, wie er den schwierigen Satz zu Ende bringen sollte.

Hinnig war der Fixere. „Wie kommt so Lumpenpack aus Barmbek zu solchen Messern? Von Onkel Carl zu Weihnachten! Von der Großmama!"

„Von der Großmama!" krähte Otto.

„Spielst wohl Taschendieb in Hamburg", sagte Artur. „Meinem Vater haben sie vorige Woche auf dem Markt einen Taler gestohlen, aus der Rocktasche. Das waren auch so Gassenjungen wie ihr, sagt er."

An Spielen und Messerwerfen dachte keiner mehr. Ich blickte Dorchen von der Seite an und sah, wie ihr Gesicht hellrot glühte vor Scham und Zorn. Da standen wir in unseren fadenscheinigen Hosen und Hemden, die vor Krischan schon sein Vetter getragen hatte, und fühlten, wie Armut schmeckt und ein Leben in der Fremde. Es war einfach nicht auszuhalten.

„Wenn das deine Mutter wüßte . . .", dachte ich.

Dorchen aber vergaß alle Vorsicht und alle ausgetüftelten Pläne und rief: „Gassenjungen sollen wir sein und Taschendiebe? Eine große Villa hat unser Vater in Hamburg an der Alster, er ist reich und kann uns alles kaufen, was wir wollen. Wenn ich nächstens Geburtstag habe, kriege ich ein eigenes Boot, und wenn ich es mir wünschte, könnte ich auch ein Pferd haben, ein Pferd zum Reiten ganz für mich allein."

Dann rang sie nach Luft, und wahrscheinlich kam sie etwas zu Verstand, während ich fühlte, wie sich mir vor Schreck die Haare sträubten.

Die Reimersjungen hatten der Rede zuerst mit dummen Gesichtern gelauscht, jetzt stießen sie sich gegenseitig mit den Ellbogen und johlten vor Lachen.

„Villa an der Alster", schrie Hinnig.

„Pferd zum Reiten", ächzte Artur. „Haben aber kein heiles Hemd am Leib."

„Villa, Villa und Pferd", quietschte Otto.

Sie standen zu dritt, groß und stark, denn es waren *wirkliche* Jungen; sie standen vor ihrem eigenen stattlichen Haus mit fünfzehn Fenstern und einem gemalten Spruch zur Straße hin und fühlten sich wie Fürsten.

Das regte Dorchen aufs neue so auf, daß sie ihnen zuschrie: „Dummes Pack! Wie sie sich vorkommen, die Vierländer Bauerntrampel!"

Im nächsten Augenblick kriegte sie eine furchtbare Backpfeife von Artur, und ehe sie sich's versah, hatte Hinnig sie von hinten angesprungen und zu Boden geworfen. Er kniete sich auf ihren Rücken und fing an, mit seinen Fäusten auf ihr herumzutrommeln. Artur sah wohlgefällig zu, und der kleine Otto hopste begeistert auf und nieder.

Ich aber schrie. Ich muß gellend und wie am Spieß geschrien haben, denn ich hatte Angst um Dorchen. Ich zerrte an dem wütenden Hinnig, an seinem geschorenen

Kopf, der sich anfühlte wie eine Kegelkugel, so rund und hart, an seinen groben Armen und Fäusten, sogar an seinen knochigen Knien, die er in Dorchens Rücken bohrte – wahrscheinlich merkte er es nicht einmal. Das einzig Nützliche war mein Geschrei.

Frau Reimers kam in den Hof gelaufen und machte der Prügelei ein Ende. Sie half Dorchen aufstehen und strich ihr mit der Hand über das Gesicht, um zu sehen, ob es noch heil war. Sie schüttelte Hinnig und schimpfte ihn. Sie fuhr Artur an: „Hättest auch aufpassen können, bist ja alt genug."

Schließlich sagte sie zu allen dreien: „Seht ihr nicht, wie schwach und mickrig sie sind, die Hamburger? Mit denen könnt ihr nicht raufen wie mit den Jungen von hier. Sie kriegen wohl zu Hause nicht genug zu essen, die Hamburger. Und immer die schlechte Luft in der Stadt."

Damit ging sie kopfschüttelnd zurück ins Haus und zog Otto an der Hand mit sich. Artur und Hinnig folgten ihr, rückwärtsgehend. Sie schnitten Grimassen und gaben eine Art Singsang von sich: „Villa an der Alster, mein Vater ist Senator, Villa an der Alster . . ." und so weiter.

Geesche hatte von alledem nichts wahrgenommen. Sie wirtschaftete in ihrer Diele herum und war sowieso etwas schwerhörig. Unser Weinen jedoch – auch Dorchen gab sich keine Mühe, ihr zorniges Schluchzen zu unterdrücken –, unser Weinen bemerkte sie sofort, kam angeschlurft und betrachtete uns ängstlich. Es war schon dämmerig in der Diele, aber das Feuer glühte noch und zeigte der alten Geesche, wie jammervoll wir aussahen, verheult, verbeult, dreckverschmiert und abgerissen. Vor allem natürlich Dorchen. Ein Hemdärmel und ein Hosenbein hingen ihr in Fetzen, und sie blutete am Knie.

„Die Reimersjungen", brachte ich hervor, dann setzten wir uns vor das Feuer auf die Erde und heulten zum

84

Steinerweichen. Nicht allein wegen der Prügelei. Wir fühlten uns so verlassen und elend, wie man sich nur in der Fremde fühlen kann, wo niemand für einen einsteht, wo man sein Recht mit eigenen Fäusten verteidigen muß – aber wir hatten nur kleine Fäuste. Dazu kam noch als besondere Erschwerung, daß wir als Jungen galten. Mädchen, auch noch so ärmliche, hätten die Reimersjungen nie und nimmer so behandelt. Als wir mit dem lautesten Schluchzen fertig waren, konnten wir sie draußen noch immer singen hören:

„Mein Vater ist Senator,
Villa an der Alster . . .“

Inzwischen hatte die alte Geesche (die an diesem Abend erstaunlich klar im Kopfe war), ohne daß wir achtgegeben hatten, den Wasserkessel frisch gefüllt, das Feuer geschürt und ihren Waschzuber vor den Herd gerückt. Nun goß sie das Wasser in den Zuber, daß es dampfte, und noch eine Kanne kaltes dazu, dann stieß sie mich an und sagte: „Max, du zuerst. Du bist nicht ganz so schmutzig.“ Sie stand mit einem Stück Seife und einem Lappen in der Hand und wartete.

Dorchen und ich sahen uns ratlos an, dann zuckte Dorchen die Achseln und sagte leise: „Schadet nichts. Sie ist ja tüdelig. Und sie weiß es sowieso.“

Also zog ich mich splitternackt aus und stieg in das schöne warme Wasser. Es war wirklich eine Wohltat! Die gute Geesche wusch mir erst vorsichtig das tränenklebrige Gesicht, dann mit Seife den Jungenskopf und meinen ganzen Leib, der ja in all der Zeit in der Fremde nicht mehr gebadet worden war. Hinterher trocknete sie mich ab und zog mir das Nachthemd von ihrem Klaus über. Mir war gut zumute, fast als wäre ich zu Hause, wo ich hingehörte, sauber und liebevoll gepflegt von Klärchen und der Großmama. Inzwischen wurde schon Dorchen abgewaschen, und ich sah nun erst, wie viele blaue und rote Flecken sie bei der Prügelei abbekommen hatte. –

85

Das arme Dorchen. Das hatte sie nun davon, daß sie als Theo Kröger von zu Hause weggelaufen war. Als sie im Nachthemd auf dem Schemel saß, schmierte Geesche ihr Salbe aufs Knie und band ein Stück Leinen darüber. Dann betrachtete sie unsere Kleider, schüttelte den Kopf und füllte den Wasserkessel wieder.

„Die müssen auch gewaschen werden", sagte sie. Ich griff nach Dorchens Hemd und Hose und fragte Geesche, ob sie wohl Nadel und Faden hätte. Während das Wasser heiß wurde, nähte ich, so gut ich konnte, die Risse wieder zusammen; Geesche saß dabei, guckte zu und sagte immer wieder: „Max, Max, min lütte Deern, wie kannst du schön nähen. Wo hast du so schön nähen gelernt?" Es hätte nicht viel gefehlt, so hätte ich Meta aus der Kommodenschublade geholt und Geesche das Kleid und den Unterrock gezeigt, die ich ihr mit meiner Nähmaschine angefertigt hatte. Dann wusch die gute Geesche unsere Sachen und hängte sie an einer Leine vors offene Feuer. „Morgen sind sie trocken."

So krochen wir ins Bett. Es war schon fast ganz dunkel in dem Kämmerchen mit dem winzigen Fenster. Nach dem Baden war uns wohl und schläfrig geworden, und wir wollten eben unter dem großen Federbett in Schlaf sinken, da tönte es gellend durch die stille Gegend zum Fenster hinein:

„Villa an der Alster,
   mein Vater ist Senator",
drei-, viermal hintereinander.

Wir fuhren zusammen und wurden wieder völlig wach.

Dorchen setzte sich auf und schlug mit den Händen auf die Bettdecke. „Morgen sollen sie was erleben", sagte sie, „dann kratze ich dem Hinnig die Augen aus, und den Artur trete ich mit dem Stiefel. Und das kleine Biest, den Otto . . ."

„Ach, Dorchen", unterbrach ich sie, „die sind ja viel stärker als wir. Und ich mag mich nicht herumprügeln.

Du solltest dir auch nicht so was ausdenken. Das ist nichts für Mädchen. Und wir sind ja schließlich Mädchen, auch wenn wir uns verkleidet haben."

„Aber wenn sie von jetzt an immer so hinter uns herschreien? Das will ich nicht und will ich nicht und kann es auch nicht aushalten."

„Dorchen", sagte ich langsam, „wollen wir nicht einfach wieder nach Hause? Wir packen unsere Sachen, und morgen früh um fünf gehen wir auf einen Ewer. Dann kommen wir noch morgen vormittag wieder zu den Eltern – und zur Großmama – und zu Magda und Lisa und Anna. Minka wird sich auch freuen. Alle werden sich so schrecklich freuen, und keiner wird schimpfen, weil wir weggelaufen sind."

„Und nächsten Sonntag", sagte Dorchen, die wieder neben mir unter das Federbett gekuschelt lag, „nächsten Sonntag mietet der Vater eine Droschke. Wir ziehen unsere Sonntagskleider an, Mutter setzt sich den großen Hut mit dem Spitzenschleier auf, und dann fahren wir nach Kirchwerder, bis hierher vor den Reimershof. Wir steigen alle aus, und Vater geht zu den Lümmeln hin und sagt ihnen die Meinung. Er wird ihnen sagen, daß wir eine Villa an der Alster haben und daß sie bloß dumme Vierländer Bauerntrampel sind."

„Ich glaube nicht, daß der Vater das täte", entgegnete ich. „Aber mal hier vorbeifahren und sehen, wo wir gewohnt haben, das würde er schon wollen. Dann könnten wir auch Geesche besuchen und ihr Kaffee und Tabak bringen. – Wollen wir denn also morgen wieder nach Hause?" fragte ich und wurde nun selbst ganz aufgeregt vor Glück.

„Was werden sie aber sagen, wenn sie uns so sehen, ohne Haare und ganz braungebrannt, und wie werden wir in unsern Kleidern aussehen? Ach, diese schrecklichen Kleider und Schürzen und Schleifen, und immer Stiefel an und Strümpfe und Leibchen . . ."

„Villa an der Alster, mein Vater ist Senator", machte ich leise, denn ich wollte nicht, daß Dorchen sich unsere Heimkehr wieder vergraulte.

Aber es nützte nichts. Am Ende war es nämlich nicht der Gedanke an die Schürzen und Stiefel, der Dorchen plötzlich ausrufen ließ: „Nein, nein, es geht ja nicht!"

Ihr war Krischans Brief eingefallen und aus dem Brief der Satz: „Herr Asmussen soll gesagt haben, wenn er Dorchen wieder eingefangen hat, schickt er sie in ein Institut in der Schweiz, damit sie endlich erzogen wird."

Es half nichts, daß ich behauptete, das habe Vater nicht so gemeint, auch würde er viel zu froh sein, uns wiederzuhaben, als daß er Dorchen gleich wieder wegschicken könnte.

Dorchen kam jetzt auch der Auftritt unter dem Kronleuchter wieder in den Sinn, als der Vater ihr nicht gegen den boshaften Harry beigestanden und sie obendrein geohrfeigt hatte.

„Wir müssen woanders hingehen", sagte sie, „noch eine ganze Weile, bis der Vater *wirklich* nicht mehr böse ist. Wir sind ja noch nicht ganze zwei Wochen weg! Ich werde *bestimmt* in die Schweiz geschickt, und da darf ich sicher nicht mal auf Bäume klettern."

Geschwister, die immer zusammen sind, haben häufig auch gleichzeitig dieselben Gedanken. In diesem Augenblick erschien in meinem Kopf eine radschlagende rosa Seiltänzerin, und ich wunderte mich nicht, Dorchen sagen zu hören:

„Wir gehen einfach mit den Zirkusleuten."

„Meinst du, die nehmen uns mit?"

„Ach, warum nicht? Wir kriechen irgendwo unter, bei den Pferdchen oder bei dem Elefanten. Wir helfen die Ziegen bürsten und Billetts verkaufen. Und vielleicht..."

Jetzt dachte Dorchen, sie könnte vielleicht auch auf dem Seil entlangspazieren oder, auf so einem Pferdchen stehend, im Kreise traben, das fühlte ich.

„Morgen früh ziehen sie weiter", sagte Dorchen. „Ich hab's die Frau an der Kasse sagen hören. Wir müssen ganz früh aufstehen und hinwandern, damit sie nicht schon weg sind."

So war es beschlossene Sache, und wir schliefen ein, zum letzten Mal aneinandergeschmiegt unter dem rotkarierten Federbett der guten alten Geesche.

4. Kapitel

Wenn wir diese Nacht woanders als in den Vierlanden geschlafen hätten, wer weiß, ob wir rechtzeitig aufgewacht wären. Aber in Kirchwerder fing der Arbeitstag in der Dämmerung an. Da schleppten die Bauern ihre Körbe und Kisten voll Obst, Gemüse und Blumen den Deich entlang zu den Eweranlegeplätzen, und das ganze Dorf wachte auf, ob es wollte oder nicht.

Wir redeten nicht weiter miteinander, als wir uns anzogen. Es war ja alles abgemacht. Es nahm sich zwar in der Morgenfrühe ziemlich merkwürdig aus, aber was sonst hätten wir denn tun sollen? Noch schliefen die Reimersjungen, bald würden sie wieder mit Grölen anfangen und natürlich ihre Freunde auch. Wir konnten nicht länger bleiben.

Wir zogen das Vierländer Sonntagszeug an, damit wir nicht gar so schäbig wirkten. Dann nahmen wir jede ein Blatt Papier vor. Dorchen war mit ihrem Werk schneller fertig als ich mit meinem. Sie hatte geschrieben:

Ich erlaube, daß meine Neffen Theo und Max Kröger aus Barmbek eine Weile mit dem Zirkus Rabelli herumziehen.

„Das unterschreibt Geesche, dann denken sie nicht, wir

wären heimlich ausgerissen", sagte Dorchen. Wie gewöhnlich erstaunte mich ihre Umsicht.

Auf meinem Blatt Papier konnte man eine dicke, schwärzliche Katze erkennen. Mit großen roten Buchstaben schrieb ich darunter:

WILLI

Dann heftete ich das Blatt in der Diele neben dem Herd an die Wand. „Damit Geesche weiß, wie der Kater heißt, wenn sie tüdelig ist", erklärte ich Dorchen.

Während Dorchen wartete, daß Geesche sich anzog, Frühstück kochte und den Zettel unterschrieb, rannte ich zum Krämer. Ein bißchen Kaffee und ein Tütchen Tabak mußten wir der guten Geesche doch zum Abschied schenken.

Sie war an diesem Morgen so tüdelig wie noch nie. Sie unterschrieb zwar, aber verstand nicht, was es bedeutete. Die Suppe lief über ins Feuer hinein, so aßen wir ein Stück Brot. Dann umarmten wir Geesche, nahmen unsere Reisetasche zwischen uns und machten uns auf den Weg, auf denselben Weg, den wir erst am Sonntagnachmittag zum Zirkus gewandert waren.

Der Morgenwind blies frisch und kühl, und das war gut, denn die Tasche war schwerer als bei unserer Ankunft. Wir hatten Krischans alte Kleider eingepackt, dazu die Nachthemden, die Geesche uns gegeben hatte. Wir

hatten uns an sie gewöhnt, und Dorchen sagte: „Wenn wir wieder zu Hause sind, bringen wir sie Geesche zurück, von Klärchen frisch gewaschen und geplättet."

Ja, wer ahnte, wann das sein würde.

Der Zirkus war noch da. Von dem Zelt standen nur noch die Masten, die Gerüste für die Zuschauerbänke wurden gerade abgebaut. Mehrere Männer arbeiteten dort, sie hatten starke Arme und breite Schultern. Die beiden Akrobaten waren auch dabei. Sie tauschten Zurufe und Kommandos, alles ging zügig und scheinbar mühelos vonstatten, und nur an den gespannten Muskeln der Männer sah man, wie schwer die Arbeit war.

Vor einem der Wohnwagen am Rande des Platzes stand ein kleiner Tisch mit einem dampfenden Topf, vielen Tassen und einem Berg Buttersemmeln daneben. Auf dem Treppchen, das in den Wagen führte, saß die Seiltänzerin und frühstückte. Sie trug kein rosa Elfenkostüm, sondern ein einfaches Sommerkleid, aber wir erkannten sie an den blonden Haaren und der anmutigen Haltung. Neben ihr standen die beiden Kinder, jedes mit einer Semmel in der Hand. Sie teilten ihr Frühstück mit einem Äffchen, das um ihre Füße geisterte, in der komischen Gangart der Affen, halb auf zwei, halb auf vier Beinen.

Noch andere Zirkusleute umstanden den Tisch, tranken Kaffee, lachten miteinander und blinzelten in die Morgensonne.

Weiter drüben konnte man die Tiere bei ihrer Mahlzeit beobachten; der Elefant steckte sich mit seinem Rüssel ein Heubüschel nach dem andern ins Maul, die Pferde nahmen mit ihren Lippen Haferkörner auf, die vor sie hingeschüttet lagen, und die trippelnden Ziegen rupften sich frisches Gras aus einem großen Korb.

Alle waren friedlich und emsig beschäftigt; niemand beachtete uns, zwei falsche Vierländer Jungen, die am Eingang des Platzes (wo vorgestern noch die Kasse gewesen war) stehenblieben und sich nicht mehr weitertrauten.

Bis das kleine Mädchen den Jungen anstieß und zu uns herüberblickte. Sie sagten etwas zueinander, dann kamen sie ein paar Schritte näher, und wir setzten uns ebenfalls in Bewegung, langsam und schüchtern, die Reisetasche zwischen uns.

Es war einfacher gewesen, vor die alte Geesche zu treten und ihr Grüße von Krischan Kröger auszurichten. Jetzt waren wir wirklich und zum erstenmal bei wildfremden Leuten, und noch dazu bei solchen, die ein Leben führten, von dem wir keine Ahnung hatten. Wie leben Zirkusleute, wenn sie nicht im Zirkuszelt ihren Auftritt haben, wie sehen sie aus ohne ihr glitzerndes Kostüm? Macht der Clown immer Späße? Wirft der Jongleur seine Kaffeetasse in die Luft, samt dem Löffel und dem Teller? Kann die Seiltänzerin auch Strümpfe stopfen?

Die beiden Kunstreiterkinder, die sich mit zögernden Schritten auf uns zubewegten, sahen jedenfalls in ihren Alltagskleidern hübsch und fein aus. Sie waren einfach angezogen wie andere Kinder auch, nur daß das Mädchen keine Schürze trug. Aber sie unterschieden sich von den Kindern, die wir kannten. Sie trugen beide ihr Haar in Locken, fast gleich lang; und wir waren an Mädchenzöpfe und geschorene Jungenköpfe gewöhnt. Sie hatten auch einen besonderen Gang, leicht und gerade kamen sie daher und hielten den Kopf hoch, während wir zwei in unserer Schüchternheit fast über unsere Stiefel stolperten.

Als wir uns auf halbem Wege begegneten, lächelten die Kinder ganz plötzlich und so freundlich, daß wir mit einem Schlage wieder unternehmungslustig wurden, vor allem natürlich Dorchen. Sie vertraute den fremden Kindern ohne weiteres an, weshalb wir gekommen waren.

„Wir haben auch einen Zettel von unserer Tante, daß sie nichts dagegen hat", sagte sie eifrig. „Wir möchten

Pferde bürsten, und ich kann vielleicht seiltanzen, wenn ich ein bißchen übe."

Die Kinder betrachteten Dorchen und mich, dann lachten sie, als hätte Dorchen einen Witz gemacht.

„Ihr müßt zu Vater Rabe", sagte der Junge. „Den müßt ihr um Erlaubnis fragen."

Er sprach klar und deutlich, aber mit einem fremdartigen Klang.

„Und wer ist Vater Rabe?"

„Das ist der Direktor."

„Ich denke, der heißt Rabelli."

Jetzt lachten die Kinder wieder, dann nahmen sie uns zwischen sich und führten uns über den Platz zu einem der Wohnwagen.

Die Tür stand offen, innen konnte man einen Herrn in Hemdsärmeln und Weste sehen, der an einem Schreibtisch arbeitete. Er sah ziemlich ähnlich aus wie Herr Lüttjohann, der Kanzleivorsteher meines Vaters.

„Geh nur hin", sagte der fremde Junge und gab Dorchen einen kleinen Stoß.

Dorchen stieg zwei Stufen hinauf und brachte ihren Spruch vor; außer Pferdebürsten und Seiltanzen bot sie auch noch unsere Hilfe bei der Elefantenwäsche an. Dann streckte sie dem Direktor Rabelli, den die Kinder Vater Rabe nannten, den Zettel mit der Unterschrift der alten Geesche hin. Vater Rabe hörte und sah sich alles kopfschüttelnd an und antwortete: „Das schlagt euch aus dem Kopf. Bleibt ihr mal schön in Barmbek – wo liegt das überhaupt?"

Er nahm seinen Federhalter wieder zur Hand, aber ehe er ihn ins Tintenfaß tunken konnte, zupfte ihn das lockige Mädchen am Ärmel. Sie sagte leise etwas, und unten stand der Junge, lächelte zu Vater Rabe hinauf und nickte mit dem Kopf.

„Ach so", knurrte der Direktor, „das sind schon eure Freunde. Weil ihr nie jemand zum Spielen habt. Ist ja

wahr, das hätte mir auch einfallen können. Für ein paar Tage mag es gehen, Laura, mein Täubchen. Aber wo sollen sie wohnen? Bei euch ist kein Platz mehr. Was sagst du, William?"

„Bei Onkel Rabe", sagte William. „Da ist doch das leere Bett. Tante Emil kann für sie kochen."

So kamen wir beim Zirkus unter; und wenn uns auch alles im Kopf durcheinanderging, Vater Rabe, Onkel Rabe und gar noch Tante Emil, hatten wir doch die beiden schönen Kinder William und Laura, an die wir uns halten konnten und die uns alles zeigten und erklärten.

Zunächst führten sie uns zu unserer neuen Heimstatt. Wie die meisten anderen enthielt der Wagen von Onkel Rabe zwei Wohnungen; der eine Eingang war hinten, der andere vorn an der Seite. Zu diesem gingen wir, und William rief hinein: „Onkel Rabe, Onkel Rabe!"

Augenblicklich erschien ein dünner kleiner Mann und fragte: „Um Himmels willen, was ist passiert?" Dabei streckte er seinen Hals und drehte den Kopf nach allen Seiten, auch zum Himmel, als ob er das Schlimmste befürchtete, aber noch nicht wußte, woher es kommen würde.

„Es ist nichts passiert, Onkel Rabe", sagte Laura beruhigend. „Hier sind nur zwei Jungen, die sollen ein paar Tage bei dir wohnen."

Onkel Rabe betrachtete uns mißtrauisch.

„Sie sind ganz lieb", sagte William, der ihn kannte und seine Gedanken erriet. „Sie sind nicht frech und werden dir nichts kaputtmachen." Er fügte lachend hinzu: „Sie wollen auf dem Seil tanzen und den Elefanten waschen."

„Ja, wenn das so ist", murmelte Onkel Rabe und stieg wieder in seine Wohnung. „Aber das Bett ist nicht bezogen, und es liegt soviel Zeug drauf."

William bedeutete uns zu warten und kletterte mit Laura in den Wagen. Wir hörten sie herumräumen und zwischendurch Onkel Rabe beruhigen. Im Herauskommen sagte Laura noch: „Sie wollen ja nur nachts da schlafen. Tagsüber sind sie mit uns."

Es war nicht übel in der kleinen Wohnung. An jeder Seite stand ein schmales Bett, an der Hinterwand ein großer Schrank; Tisch und Stuhl waren auch da, ein Teppich auf dem Boden und Gardinen um die Fensterchen. An den Wänden hingen viele Bilder, lauter Photographien von einem hübschen jungen Mädchen.

„Meine Tochter", erklärte Onkel Rabe, während wir auf unserem Bett saßen, die Reisetasche zwischen uns. „Sie hat nach Spanien geheiratet." Er machte ein trauriges Gesicht dazu.

Es gab damals noch keine Flugzeuge. Wenn jemand in Spanien verheiratet war, dann war er so gut wie aus der Welt. Für Onkel Rabe blieb nichts als die Bilder an den Wänden.

Inzwischen war die Zeit zum Aufbruch gekommen. Draußen erhob sich ein aufgeregtes Hin und Her, ein Rufen und Rasseln. Wir sprangen hinaus und sahen, daß Pferde vorgespannt worden waren; nicht etwa die kleinen schwarzen, die abends durch die Manege trabten, sondern große, starke Rösser, zwei vor jeden Wagen. Der Platz war leergeräumt, nicht ein Schnipselchen lag mehr herum. Die Treppchen wurden eingezogen, die Türen geschlossen, und ehe wir es uns versahen, hatten William und Laura uns auf den Kutschbock unseres Wagens befördert, rechts und links vom Kutscher. Dann huschten sie davon und kletterten auf den Bock ihres eigenen Wagens.

Alles, was zu dieser Morgenstunde im Dorf nichts zu tun hatte, alte Männer, Frauen und kleine Kinder, stand und sah dem Aufbruch zu. Ein Wagen nach dem andern rumpelte auf die Straße, und wir konnten sehen, wie in der Mitte des langen Zuges der Elefant marschierte, umgeben von den Ponys und zierlichen Zirkuspferdchen. Die braunen Ziegen streckten ihre neugierigen Köpfe

97

über die halb heruntergeklappte Hinterwand des Stallwagens. Die Äffchen hockten bei dem dunkelhäutigen Mann auf dem Bock so wie wir zwei.

„Guck mal, zwei Jungen von hier fahren auch mit", sagte eine alte Bauersfrau, als wir vorbeifuhren.

„Wollen wohl zum nächsten Dorf", vermutete eine andere.

Aber wir wollten viel weiter. Wir waren jetzt Zirkuskinder. Dorchen faßte hinter dem Rücken unseres Kutschers meine Hand und drückte mir die Fingernägel ins Fleisch – sie freute sich so. Ich hopste ein bißchen auf meinem Sitz. So schön waren wir noch nie gefahren.

Unser Kutscher war einer von den Akrobaten. Er pfiff sich eins und blickte munter und freundlich, aber redete kein Wort.

„Wohin fahren wir denn jetzt?" fragte Dorchen, die es bald nicht mehr aushalten konnte, bloß immer die Pferderücken und die Wiesen und Felder zu betrachten.

„Geesthacht."

„Sind Sie nicht einer von den Akrobaten?"

„Hm-hm."

„Und wie heißen Sie?"

„Rabe."

„Ich heiße Theo Kröger", schwatzte Dorchen. „Das ist mein Bruder Max. Wir kommen aus Barmbek. Kennen Sie Barmbek?"

Herr Rabe schüttelte den Kopf.

„Und wie heißt der andere Akrobat?"

„Rabe."

„Heißen hier viele Rabe?"

„Die meisten."

„Aber wie kommt das?"

Anstatt zu antworten, fing unser Kutscher wieder an zu pfeifen. Die Frage war ihm wohl zu dumm.

Nach ein paar Stunden hielt der ganze Zug bei einem Laubwäldchen, die Wagen wurden von der Straße gezogen, die Pferde ausgespannt, gefüttert und getränkt, das Zirkusvolk spazierte auf dem weichen Gras oder bereitete das Mittagessen vor. Onkel Rabe kam das Treppchen herab und blickte ängstlich zum Himmel und in der Gegend umher, ob Gewitter oder Feuersbrunst sich näherten. Dem hinteren Teil unseres Wagens entstieg ein stattlicher Herr, der dem Direktor Rabelli sehr ähnlich sah. Er fing an, grüne Kräuter abzurupfen, so daß das vorlaute Dorchen fragen mußte:

„Wozu brauchen Sie das?"

„Für meine Kaninchen."

Da wußten wir Bescheid. Es war der Zauberkünstler; wir erkannten ihn jetzt wieder, obgleich er keinen Zylinder und Umhang trug. Während ich noch darüber nachdachte, daß auch gezauberte Kaninchen mit Kräutern ernährt werden mußten, trat die große, rundliche Frau, die die Kasse verwaltet hatte, auf das Treppchen und fragte uns: „Könnt ihr Kartoffeln schälen?"

Das hatten wir noch nie gemacht.

„Schadet nichts", lachte sie. „Dann muß Onkel Rabe ran."

William und Laura traten neben uns.

„Sollen wir dir helfen, Tante Emil?" erbot sich Laura.

Aber Tante Emil winkte uns weg und rief hinter sich: „Fifi, Fifi, geh Onkel Rabe holen."

Darauf kam wie der Blitz etwas Weißes, Haariges aus

der Tür geflogen, landete im Gras, sauste um den Wagen und packte Onkel Rabes Hosenbein, kläffend und jaulend vor Eifer.

„Ja, *ja*", sagte Onkel Rabe, der sich zu meinem Erstaunen gar nicht erschreckte oder fürchtete. Er folgte dem weißen Spitz in den Wagen zu der rundlichen Frau, wo anschließend das Essen zubereitet wurde.

„Das ist Tante Emil", erklärte William. Dann wies er auf den Zauberkünstler: „Onkel Emils Frau."

„Ach, sie heißen Emil mit Familiennamen?"

„Nein, Rabe."

Jetzt bekam Dorchen einen schrecklichen, albernen Lachanfall, der gar nicht wieder aufhören wollte und uns auch noch ansteckte, so daß wir vier uns lange nicht beruhigen konnten. Es wurde noch schlimmer, als der weiße Spitz aus dem Wagen sprang und wie ein verrücktes Wollknäuel um uns im Kreise tobte. Zum Schluß lagen wir alle im Gras und schnappten nach Luft, der Spitz auch.

Die Sache war ganz einfach zu erklären. Vater Rabe, der Direktor, war der älteste von drei Brüdern; der zweite Onkel Emil und dann Onkel Rabe. Die beiden Akrobaten waren Vater Rabes Söhne, die Akrobatin seine Schwiegertochter. Und Onkel Emils Frau war die dicke Frau von der Kasse. Das war alles.

„Dann ist die ganze Familie beim Zirkus", sagte Dorchen.

„Alle bis auf Onkel Rabes Tochter."

„Und ihr seid auch eine Zirkusfamilie, ihr und eure Eltern."

Laura und William wurden plötzlich ernst und fast abweisend. Sie standen auf. Sie sagten, sie müßten jetzt zum Essen gehen.

Dorchen und ich wußten nicht, ob sie nun böse auf uns waren – aber weshalb?

An diesem Abend nach der Ankunft in Geesthacht

wurde das Zirkuszelt nicht mehr aufgeschlagen, erst am nächsten Morgen. Wir schliefen unruhig auf dem schmalen Bett. Ich hörte Onkel Rabe schnarchen und manchmal ächzen. Nach all den fremdartigen Aufregungen des Tages war mir fast unheimlich zumute. Erst als ich die Puppe Meta aus unserer Reisetasche hervorgewühlt und in meinen Arm genommen hatte, so daß ich ihr Samtkleid und ihre Locken fühlen konnte, hörte mein Herzklopfen auf. Ehe ich einschlief, dachte ich noch: der Direktor, die Akrobaten, der Zauberkünstler, die Frau an der Kasse. Laura und William auf den Pferden. Die Seiltänzerin. Aber wer ist Onkel Rabe? Was macht Onkel Rabe? – Er schien mir zu keiner Zirkusarbeit zu gebrauchen. – Kartoffelschälen, dachte ich und schlief ein.

Während am andern Morgen das Zelt aufgebaut wurde, nahmen uns William und Laura mit in ihre Wohnung. Auch hier war der Wagen zweigeteilt; im größeren Raum wohnten der Jongleur und die Seiltänzerin, im vorderen die Kinder. Die Seiltänzerin sprach sehr freundlich mit uns und fragte uns nach Barmbek und Tante Geesche. Dann sagte sie zu William: „Hat Laura dir die zwei Knöpfe angenäht? Oder soll ich es tun?"

William antwortete schnell: „Laura macht es gleich noch, danke, Pflegemutter." Laura nickte dazu, daß die schwarzen Locken tanzten.

In dem kleinen Zimmer der Kinder hingen auch lauter Photographien an der Wand. Ein Herr war auf einigen zu sehen, auf anderen eine junge Frau, beide zu Pferde. Aber dies waren nicht die Pferdchen, die dem Zirkus Rabelli dienten, sondern große, edle Tiere mit gebogenen Hälsen und feinen Köpfen.

Wir wurden eingeladen, auf dem Bett zu sitzen, während Laura die Knöpfe an die Samtjacke nähte. Indessen reparierte William einige der Wachsblumen mit Draht. „Sie gehen immer kaputt, weil sie soviel herumgeworfen werden", sagte er. Dann untersuchte er ein Paar kleine weiße Schuhe aus weichem Leder mit langen Bindebändern. „Die Sohlen werden schon wieder zu glatt", sagte er zu Laura. „Du mußt vorsichtig sein. Ich will sie noch ein wenig aufrauhen."

Als alles in Ordnung war, führten uns die Kinder zu den Tieren. Der schwarzbraune Mann striegelte eben die Ponys. Er hieß Misra und war ein echter Inder – der erste Inder, mit dem wir bekannt wurden. Er war sanft und freundlich, gab mir eine Bürste in die Hand, mit der ich die ruhigste von den Ziegen bürsten durfte, und ließ Dorchen ein bißchen an einem schwarzen Pferd herumstriegeln. Dann hörten wir draußen eine Glocke.

„Das Zelt ist fertig, jetzt gehen die Proben los", sagte William. „Aber wir sind noch nicht dran. Erst kommt das Gerüst und dann das Seil."

„Was wird denn geprobt?" fragte Dorchen.

„Na, was abends vorgeführt wird."

„Aber das könnt ihr doch schon."

William und Laura sahen sich an. Ich schämte mich für Dorchens törichtes Reden. Dann sagte Laura, die kleiner war als ich und vielleicht erst acht Jahre alt: „Man kann es nie gut genug, und man will ja immer noch mehr können."

Wir sahen natürlich bei den Proben zu, von Anfang bis Ende. Es war ganz anders als abends bei der Vorführung. Die Artisten hatten einfache Turnkleidung an und lächelten nicht, sondern ächzten und schimpften zwischendurch. Rosabella, die Seiltänzerin, rief sogar einmal mitten im Tänzeln: „William, bitte geh und setz die Suppe auf!" Als sie heruntersprang, fragte Dorchen, ob sie auch einmal hinauf dürfte. Rosabella lachte und versprach, morgen solle das Seil niedriger gespannt werden, da könne Theo es versuchen. An diesem Tag war nicht viel Zeit zum Proben, kaum daß William und Laura einmal ihre Nummer durchübten. Vater Rabe gab ihnen Ratschläge, während sie ritten.

Die ganze Zeit über beobachtete ich Onkel Rabe, der in verbeulten Hosen und einer alten Jacke hier und da am Rande der Manege herumstolperte, wo er gerade nicht im Wege war. Er machte unnatürliche Armbewegungen und stieß Rufe aus. Niemand wunderte sich über ihn. Aber dann erschien Onkel Emil in Umhang und Zylinder, in jeder Hand einen Käfig tragend, einen mit weißen Kaninchen und einen mit weißen Tauben. Mit ihm kam Fifi herbeigesaust und geriet Onkel Rabe zwischen die Beine. Onkel Rabe fiel zappelnd in die Sägespäne und schüttelte die Fäuste nach Fifi. Da fingen alle, die herumsaßen und zusahen, zu klatschen an, und Vater Rabe rief: „Gottlieb, das war gut. Das war wirklich komisch. Du solltest versuchen, mit Fifi zu arbeiten."

Nun fiel es uns wie Schuppen von den Augen. Onkel Rabe war der Clown, aber eben ein Clown, dem es schwerfiel, komisch zu wirken.

Der Zirkus Rabelli blieb drei Tage in Geesthacht. Zwei Vorstellungen gab es jeden Tag, eine nachmittags und eine abends. Wir hätten jedesmal unter den Zuschauern sitzen dürfen, aber es war viel schöner, an dem Eingang herumzustehen, durch den die Artisten die Manege betraten. Da sah man, wie die aufgeputzten Pferdchen herangeführt und noch einmal besänftigt und gestreichelt wurden. Wie die Akrobaten sich die Trikots zurechtzogen und die Hände mit weißem Pulver einrieben. Wie William Laura die Schärpe fester band und Laura William den Spitzenkragen aus der Jacke zupfte. Wie Vater Rabe denen, die wieder herauskamen, auf die Schulter klopfte, weil sie es gut gemacht hatten.

Am nächsten Vormittag ließ Rosabella nach ihrer Probe tatsächlich das Seil niedriger spannen. William hatte für Theo-Dorchen geeignete Schuhe gebracht. Das Seil war nicht etwa eine dicke Schnur, sondern aus Draht gewunden, fest und gleichzeitig biegsam. Ich hielt es für möglich, daß meine gelenkige Schwester, die um den Sims balanciert war, auch auf diesem Seil entlanggehen könnte. Sie bekam von Rosabella Anweisungen, wie sie sich bewegen sollte, und eine lange, dünne Stange in die Hände. Die sollte ihr helfen, die Balance zu halten.

Dorchens Augen strahlten, als sie das Leiterchen hinaufstieg. Sie trug Krischan Krögers fadenscheiniges Hemd und seine von mir notdürftig geflickte Hose. Sie sah aus wie ein kühner Betteljunge, der sich zu einer großen Tat anschickt und denkt: Wer wagt, gewinnt.

Dreimal setzte sie Fuß vor Fuß, hielt sich an der Stange gerade. Dann schwankte die Stange unaufhaltsam nach einer Seite, und Dorchen fiel vom Seil.

Sie tat sich nicht weh, das Seil war nicht höher über dem Erdboden als mein Kopf. Auch war die Manege dick mit Sägemehl bestreut. Dorchen klopfte sich ab, lachte und versuchte es gleich noch einmal. Diesmal fiel sie schon beim zweiten Schritt herunter. Nach dem fünften Versuch gab sie es auf. Das Seil mußte abgeräumt werden, um für die nächste Nummer Platz zu machen. Und Dorchen hatte genug vom Seiltanzen. Es ging nicht so leicht, wie sie es sich gedacht hatte. Und wie es aussah. Es war ein erbärmliches Gefühl, das Gleichgewicht zu verlieren und wie ein Mehlsack in den Sand zu plumpsen. Sie flüsterte mir zu: „Rosabella hat bestimmt einen Trick. Besondere Schuhe oder so. Bloß das verrät sie nicht."

Ich glaubte nicht daran.

Nachdem auch das Stangengerüst der Akrobaten wieder fortgeräumt war, erschien Vater Rabe mit den Pferden. Laura und William hielten sich bereit.

Alberich hieß eins der schwarzen Pferdchen. Es jagte munter mit den andern im Kreise um Vater Rabes lange Peitsche herum. William wartete, bis es vorbeikam, lief ein paar Schritte nebenher, packte es in der Mähne und sprang ihm auf den Rücken. Laura stand auf der niedrigen Einfassung, die die Manege umgab. Da kam William auf Alberich heran, streckte Laura seine Hand hin,

formte aus seinem Fuß und Unterschenkel eine Art Stufe oder Steigbügel, und gleich saß Laura hinter ihm, so geschwind, daß man nicht genau sagen konnte, wie sie hinaufgekommen war.

Wieder beobachtete Dorchen wie verzaubert das Reiten der Kinder. Ihren Mißerfolg auf dem Seil hatte sie fast vergessen, und als die Pferde wieder weggeführt werden sollten, bestürmte sie Vater Rabe, sie einmal auf Alberich herumreiten zu lassen. Sie meinte, womöglich könne sie sich sogar während des Trabens auf seinen Rücken stellen. Natürlich wollte sie aufspringen.

„Ich habe genau gesehen, wie du es gemacht hast, William", sagte sie. „Vielleicht könnte Alberich ja für mich ein bißchen langsamer rennen."

„Laß dir lieber hinaufhelfen, Theo", riet William. „Und versuch es mit Wolke, die ist ruhiger."

Aber Theo-Dorchen ließ sich nicht raten. Sie hielt es nicht für zu schwer, auf ein trabendes Pferd zu springen. Man faßt ein wenig in die Mähne, und schon sitzt man oben. Sie wollte durchaus auf Alberich reiten, dem hübschesten von den kleinen Rappen, der seinen Kopf warf, wenn er lief, und mit den Augen rollte.

Es gelang natürlich nicht. Ehe Dorchen imstande war, Alberichs Mähne zu erwischen, schlug ihr schon sein Schweif um das Gesicht. So ging es ein paarmal. Schließlich ließ sie sich doch von Vater Rabe auf Alberichs Rücken helfen. Da saß sie erst ganz schön, ähnlich wie auf dem braunen Pferd auf der Reimersschen Koppel in Kirchwerder. Aber dann rannte Alberich los, und man konnte sehen, daß er Dorchen abwerfen wollte. Wahrscheinlich war es ihm unangenehm, wie sie sich an seiner Mähne festhielt. Es fiel ihm nicht schwer, Dorchen loszuwerden. Wieder lag sie in den Sägespänen und schrie auf, denn diesmal hatte sie sich weh getan. Vater Rabe untersuchte besorgt ihr Knie und sagte, Theo habe noch einmal Glück gehabt, der Sturz hätte auch schlecht ausgehen können.

William und Laura waren ganz blaß geworden. Mir liefen vor Schreck die Tränen über die Backen, und ich war froh, daß ich noch ein so *kleiner* Junge war, dem man das Weinen nicht verübeln konnte.

Wir setzten uns alle fünf auf den Rand der Manege. Ich saß neben Theo-Dorchen, die unglücklich vor sich hin starrte und Bein und Schulter rieb, auf die sie gestürzt war. William und Laura hatten Vater Rabe zwischen sich.

„Ärgere dich nicht, Theo", sagte William. „Du brauchst dich nicht zu schämen. Kein Mensch kann beim ersten Versuch auf ein Pferd springen und sich oben halten, wenn es bockt. Das muß man jahrelang üben."

„Und wieso könnt ihr es dann? Laura ist doch noch so klein, wie kann sie jahrelang geübt haben? Es sieht auch so kinderleicht aus. Ihr habt sicher einen Trick, den ihr nicht verraten wollt. Bloß damit es niemand nachmachen kann."

William wurde rot und bekam funkelnde Augen. Vater Rabe legte ihm seine Hand auf den Arm. Laura schüttelte verwundert den Kopf.

Ich schämte mich in Grund und Boden für meine Schwester. Ich rückte ein Stück von ihr weg und sagte laut: „Du dummes Gör!" – so wie es manchmal die Großmama tat, wenn sie auf Dorchen sehr böse war. Es kam ganz selten vor und ging Dorchen nahe. Glücklicherweise stammten unsere Zuhörer nicht aus Norddeutschland und wußten nicht, daß Gör ein anderes Wort für Mädchen ist.

Dorchen wurde nun selber rot und warf einen verlegenen Blick zu William hinüber, der immer noch beleidigt schien.

Darauf hörte man Lauras helle Stimme harmlos sagen:

„Ich reite schon seit meinem vierten Jahr. Mein Vater hat es mir beigebracht. Zuerst bin ich immer vor ihm im Sattel geritten. Auf Sittah, das war die Araberstute, die Vater dressiert hatte. Ich wäre so gern abends mitgeritten, wenn der Vater aufgetreten ist. Aber das ging natürlich nicht."

Auch William redete nun. Er hatte seiner Schwester gelauscht, und sein Gesicht war wieder freundlicher geworden.

„Ich habe auch bei meinem Vater reiten gelernt, als ich kaum vier Jahre alt war. Mit sechs durfte ich das erstemal auftreten. Aber mit meiner Mutter zusammen. Sie ritt einen weißen Hengst, Harun; ich stand hinter ihr auf der Kruppe, und dann machte ich einen Handstand."

„Während Harun rannte?" fragte Dorchen hingerissen. „Und du warst erst sechs?"

Aber William beachtete sie vorerst nicht.

Mir ging anderes durch den Kopf. Der Jongleur und die Seiltänzerin waren nicht Williams und Lauras Eltern, sondern der Herr und die junge Frau auf den Photographien in ihrem Wagen. Ich faßte Laura, die neben mir saß, bei der Hand und fragte leise: „Wo sind eure Eltern jetzt?"

Die Kinder schwiegen, Vater Rabe legte seine Arme um ihre Schultern, räusperte sich und antwortete: „Sie sind beide tot."

Dorchen blieb ihre neugierige Frage im Halse stecken, ich fühlte, wie sie daran schluckte. Aber ich. Ich faßte wieder Lauras Hand und traute mich zu sagen: „Sie sind verunglückt, nicht wahr? Beim Reiten." Denn ich sah wieder den entsetzten Blick, mit dem die Kinder Dorchens Sturz von Alberich beobachtet hatten.

Laura nickte, William schüttelte den Kopf.

Vater Rabe antwortete: „Mr. James war ein berühmter Dressurreiter. Er trat in großen Städten auf, auch im Ausland; nicht etwa in unserem kleinen Zirkus. Seine Frau, Signorina Alba, wie sie mit ihrem Künstlernamen hieß, war ebenfalls eine ausgezeichnete Artistin. Sie machte einen Salto von einem Pferd zum andern."

„Sie hing auch an einem Fuß von dem Pferd, wenn es galoppierte; ihr Kopf schleifte fast am Boden", ergänzte William.

„Und kam sie wieder rauf?" fragte Dorchen mit großen Augen.

Jetzt lachten alle drei, die Kinder und Onkel Rabe. Dieser Theo aus Barmbek!

Aber dann wurden sie wieder ernst.

„Mr. James stürzte eines Tages so unglücklich, daß er davon sterben mußte", berichtete Vater Rabe. „Es ging durch alle Zeitungen. Er war ein so berühmter Zirkusreiter, daß alle Welt Anteil nahm. Das war vor drei Jahren."

„Ich war acht, und Laura war fünf", warf William ein.

„Dann kam Signorina Alba mit den Kindern zu mir", fuhr Vater Rabe fort. „Sie war zu Tode traurig und wollte nicht mehr von einer Großstadt in die nächste reisen. Sie war auch nicht gesund."

108

„Wir weinten fast jeden Abend", sagte Laura leise.

„Ein Jahr später mußte Signorina Alba ins Kranken-haus. Ihre Krankheit hatte sich so verschlimmert, daß ihr nicht mehr zu helfen war. Sie war erst 32, als sie starb."

Im dämmerigen Zirkuszelt rührte sich nichts. Es roch nach Sägemehl und Pferden. Draußen hörte man die Stimmen der Zirkusleute und Fifis Gebell.

„Erzähl jetzt, wie Vater und Mutter sich kennengelernt haben", forderte Laura. „Das ist eine so schöne Ge-schichte."

Vater Rabe streichelte Lauras Lockenkopf. „Ich will es dir gern erzählen, Laura, mein Täubchen, und William, der es auch gern hört. Theo und Max wird es sicher inter-essieren. Es ist eine Geschichte wie ein Märchen. Also: Es war einmal ein junger Lord, der jüngste Sohn eines rei-chen englischen Edelmannes. Er lebte ein Leben wie seine Standesgenossen, ging auf die Jagd, ritt auf kostbaren Pferden, verbrachte den Winter in London mit Bällen und anderen Vergnügungen und sollte nächstens eine Lady heiraten."

„Und eines Abends ging er in den Zirkus", sagte Laura.

„Richtig. Dort trat eine junge italienische Artistin auf."

„Die machte einen Salto von einem Pferd zum an-dern."

„Sie hatte schwarze Locken wie du, Laura, mein Täub-chen, und unser junger Lord verliebte sich so schrecklich in sie, daß er von da an jeden Abend in die Vorstellung ging. Er lernte sie kennen und wollte sie heiraten."

„Aber das war doch nicht etwa Mr. James, euer Vater", mischte sich Theo ein. „Denn dieser junge Lord war doch nicht beim Zirkus."

Die Kinder lachten. „Warte nur ab, Theo", sagte Wil-liam. „Es ist wirklich wie im Märchen."

„Als der alte Lord hörte, sein Sohn wolle eine Zirkus-reiterin zur Frau nehmen, enterbte er ihn", erzählte Vater

Rabe weiter. „Da ließ Lord James alles stehen und liegen, seine Güter, seine Jagd, seine kostbaren Pferde und reichen Freunde und auch die Lady, die er heiraten *sollte,* und ging zum Zirkus, in denselben großen deutschen Zirkus wie die Signorina Alba, die er heiraten *wollte.* Mit dem Vermögen, das er mitbrachte, kaufte er einige herrliche Araber und stellte eine einzigartige Dressurnummer auf. Das war Mr. James."

Die Augen der Kinder leuchteten vor Stolz und liebevoller Erinnerung an ihre Eltern.

Dorchen wollte wieder mit irgend etwas Unbedachtem herausplatzen; ich stieß sie warnend in die Seite.

»Wenn ich erwachsen bin, werde ich auch Hohe Schule reiten wie mein Vater", sagte William. „Vorläufig will ich einen Salto von Pferd zu Pferd lernen."

Wir wußten nicht einmal, was ein Salto ist. William und Laura mußten wieder über uns lachen.

„So", rief William und überschlug sich in der Luft. „Und so – und so."

Theo-Dorchen wollte es sofort nachmachen.

„Warte lieber noch", riet Laura, die glaubte, Theo habe sich für heute genug weh getan. „Versuche es erst mit Radschlagen."

Damit wirbelte sie davon, von den Füßen auf die Hände, auf die Füße, auf die Hände – um die halbe Manege herum.

„*Das* kann ich auch", rief Dorchen und tat es ihr nach, ohne ein einziges Mal auf den Rücken zu fallen.

„Komm, Max, jetzt du!" forderte mich William auf.

Aber ich traute mich nicht.

„Radschlagen kann doch jeder", lachte Laura. „Sogar Onkel Rabe kann radschlagen, und ich glaube, Tante Emil auch."

„Auch Misra?" fragte ich.

„Bestimmt", meinte Laura. „Aber er tut es sicher nur heimlich, weil es nicht würdig genug aussieht."

Inzwischen hatte William mit Theo-Dorchen Frieden geschlossen und versprochen, ihr in den nächsten Tagen den Salto beizubringen.

„Märchen sind aber anders", meinte Dorchen, als wir zwei nach dem Mittagessen in das Städtchen schlenderten. „Da kriegt das arme Mädchen einen Prinzen. Aber der Vater enterbt den Prinzen nicht deswegen."

„Gut, daß du das vorhin nicht gesagt hast, Dorchen", entgegnete ich. „Ich finde, es ist doch wie ein Märchen. So schön und traurig, wie es auf der Welt sonst nicht vorkommt."

Wir kauften wieder eine Postkarte, einen Umschlag und eine Briefmarke, denn es war Zeit, daß wir ein neues Lebenszeichen nach Hause sandten. Dorchen verbot übrigens, daß ein Brief an Krischan beigelegt wurde. Sie fürchtete, seine Mutter könnte ihn finden und es würde alles herauskommen. „Wir müssen noch eine Weile unentdeckt bleiben", äußerte sie etwas hochtrabend. Mir war es recht. Es lebte sich doch interessant mit den Zirkusleuten.

Der nächste Tag war der letzte in Geesthacht. Dann sollte es weitergehen, über die Elbe nach der Lüneburger Heide hinüber.

Als wir nach dem Frühstück William und Laura besuchten, fanden wir sie über Schreibhefte gebeugt. Laura schrieb etwas aus einem Buch ab, und William verfaßte einen Aufsatz über das Thema: Elefanten in Indien. Misra hatte ihm eine Menge davon erzählt, und nun sollte er es in eine schöne Form bringen und keine Schreibfehler machen.

Wir staunten. Wir hatten noch gar nicht darüber nachgedacht, daß die beiden Zirkuskinder nicht zur Schule gehen konnten. Und nun gingen sie doch in eine Art Schule.

„Rosabella unterrichtet uns in Deutsch", erklärte Wil-

111

liam. „Bei ihrem Mann, dem Jongleur Fredo, lernen wir rechnen. Er kann fast so schnell rechnen wie jonglieren. Vater Rabe gibt uns Geographiestunden. Englisch und Italienisch können wir selber von unseren Eltern. Das sprechen wir, sooft wir allein sind. Wir haben auch ein paar Bücher, aus denen wir uns gegenseitig vorlesen."

An diesem Vormittag ereigneten sich keine Unglücksfälle auf der Probe. Dorchen wurde von Vater Rabe auf Wolke gesetzt und ritt stolz und zufrieden dreimal um die Manege herum. Als Wolke wieder stand, stellte Dorchen sich auf ihren Rücken, und William führte das Pferd ein Stück, ohne daß Dorchen abstürzte. Schließlich ließ sie sich von William den Salto zeigen, aber probieren wollte sie ihn noch nicht gleich. Lieber wollte sie radschlagen.

Onkel Rabe krauchte wie sonst am Rande herum. Er machte einen besonders jämmerlichen Eindruck. Die Zuschauer in Geesthacht fanden ihn wohl noch weniger komisch als die aus den Vierlanden. Sie hatten ihn am vorigen Abend ausgezischt, und ein frecher Junge hatte ihn mit Bananenschalen beworfen. In der Nacht hatte Onkel Rabe leise gestöhnt und geseufzt.

In ihrer ausgelassenen Stimmung kam Theo-Dorchen nun angesaust und begann, gerade um Onkel Rabe herum radzuschlagen, so daß er fast ihre Füße ins Gesicht kriegte. Als er zurückprallte, riß ihm Dorchen den Hut vom Kopf, warf ihn weit weg und hinderte Onkel Rabe mit ihrem Radschlagen daran, ihn sich wiederzuholen. Er fing an, laut zu jammern und zu schimpfen. Das fand Fifi, der neben Tante Emil auf einer Bank saß, so aufregend, daß er sich bellend dazwischenstürzte und Onkel Rabe beim Hosenbein faßte, während Dorchen ihm noch seinen Spazierstock raubte. Vor Ärger bekam Onkel Rabe Tränen in die Augen, die Zuschauer dagegen vor Lachen.

„Bravo, bravo", riefen sie.

Tante Emil aber sagte: „Gottlieb, das wird deine neue

Nummer. Wir nennen sie ‚Vater und Sohn' oder so ähnlich. Theo tritt mit dir zusammen auf und ärgert dich. Du gerätst in Wut, so wie eben. Das ist zum Totlachen. Wenn Fifi dich dann noch an der Hose packt, liegen die Zuschauer unter den Bänken."

Onkel Rabe blickte gekränkt. „Das gehört sich nicht für einen guten Clown", sagte er. „Ein guter Clown ärgert sich nicht wirklich, er tut nur so. Darüber lachen dann die Leute."

„Gut, Gottlieb", beruhigte ihn Vater Rabe. „Du tust also bloß so, als ob du dich ärgerst. Jedenfalls sieht es wahnsinnig komisch aus, wenn Theo so um dich herumtanzt. Probiert es doch noch einmal."

„Du könntest ja auch radschlagen, wenn du Theo fangen willst", schlug William vor.

Das war der Anfang unserer Zirkuslaufbahn. Denn wie sich in den nächsten beiden Proben herausstellte, sollte Onkel Rabe nicht nur mit Theo-Dorchen, sondern auch mit mir, Max-Gretchen, zusammen auftreten. Die Nummer hieß: „Der Sonntagsspaziergang". Das Allermerkwürdigste war aber folgendes: Wir stellten nicht Onkel Rabes Söhne, sondern seine Töchter dar. Das kam, weil Tante Emil nur zwei geeignete Mädchenkleider in den Kostümkisten fand, dazu paßten zwei blonde, langhaarige Perücken.

Von Geesthacht begab sich der Zirkus Rabelli in einer Tagereise nach einem Städtchen namens Winsen. Es war ein herrlicher, heißer Julitag, Dorchens zwölfter Geburtstag. Ich schenkte ihr morgens ein Bild, auf dem ich Theo gemalt hatte, wie er auf Wolkes Rücken stand. Es entsprach vielleicht nicht ganz der Wirklichkeit, denn auf dem Bild trabte Wolke mit flatternder Mähne, Theo stand auf einem Bein und trug einen glühendroten Kittel. Daß es Theo sein mußte, sah man aber an den blonden, kurzen Haaren.

„Heute werden sie alle besonders traurig sein in Hamburg", sagte ich. „Und die schönen Geschenke, die du gekriegt hättest. Weißt du noch, wie die Großmama dir voriges Jahr das gehäkelte Netz mit den vielen bunten Bällen geschenkt hatte?"

„Drei davon sind auf dem Kanal weggeschwommen. Und das Boot hätte mir der Vater doch nicht geschenkt."

„Wer weiß", sagte ich. „Wenn du nicht um den Sims geklettert wärst . . ."

Aber davon wollte Dorchen nichts wissen und nichts reden.

„Schöner als hier könnte ich es zum Geburtstag gar nicht haben", behauptete sie. „Ich reite, ich reise durch das Land, nächstens werde ich sogar auftreten. Ich freue mich noch halbtot. Und Misra sagt, heute mittag werden die Pferde gebadet."

Wir machten Rast an einem kleinen See, der abseits von den Dörfern in der Nähe eines Kiefernwäldchens lag. Es war eher ein großer Teich mit flachem, sandigem Ufer. Während das Mittagessen gekocht wurde, stiegen die Akrobaten, der Jongleur und William in Badehosen jeder auf ein Pferd oder Pony und ritten in das seichte, sonnenwarme Wasser hinein. Dorchen krempelte sich Krischans alte Hosen hoch und bestürmte Vater Rabe, sie mit Wolke auch in den See zu lassen. Einige Pferde gingen allein ins Wasser; langsam und wohlig wateten sie alle herum, die Reiter wurden auch mit eingetaucht, lachten und spritzten mit den Beinen. Ich patschte bis zu den Knien am Rande herum und beneidete Theo ein bißchen, der glücklich kreischte. Ein herrliches Geburtstagsvergnügen! Was war dagegen Topfschlagen oder Blindekuh? Neben mir watete Laura, sie hielt ihr Kleid zierlich zusammengerafft; selbst Onkel Rabe ließ sich seine knochigen Füße bespülen und blickte ungewöhnlich heiter und optimistisch.

Dann aber führte Misra den Elefanten herbei. Er

tauchte immer tiefer in den kleinen See ein, bis er aussah wie eine graue Insel. Er saugte seinen Rüssel voll und spritzte Fontänen in die Gegend. Die Reiter wurden noch nasser und noch vergnügter.

Als alle Tiere in der Schwemme gewesen waren (selbst die Ziegen trippelten ein Stückchen in den See hinein, um zu trinken; die Äffchen allerdings waren wasserscheu), wurde Mittag gegessen. Die heiße Sonne trocknete alle Nässe wieder weg, sogar Theos Hose war kaum noch feucht, als wir zur Weiterfahrt auf unseren Kutschbock kletterten.

„Der schönste Geburtstag meines Lebens", flüsterte mir Dorchen abends vor dem Einschlafen zu.

In dieser Nacht, der ersten in Winsen, lachte Onkel Rabe einmal laut im Schlaf. Vielleicht sah er sich selbst in seiner neuen Nummer – und fand sich komisch.

In Winsen hatten wir unseren ersten Auftritt. Von nun an probten auch wir jeden Morgen, und im Laufe der nächsten Tage fiel uns manches ein, das die Nummer noch verbesserte. Schließlich sah unser Auftritt folgendermaßen aus:

Onkel Rabe mit Hut, Spazierstock und riesigen gelben Schuhen spazierte zwischen uns in die Manege. Wir beide trugen blonde Zöpfe und geblümte Kleider, mit unzähligen Schleifen garniert, dazu Strohhüte. Wie Onkel Rabe waren wir natürlich bunt geschminkt. Jede hatte eine Botanisiertrommel umgehängt (das ist eine runde Blechdose zum Aufklappen, die an einem Riemen getragen wird); ich war außerdem mit einem Schmetterlingsnetz ausgerüstet und führte Fifi an einer langen Leine.

Zuerst ging alles sehr manierlich vonstatten; Onkel Rabe schwenkte sein Stöckchen, ich haschte nach Schmetterlingen, Fifi hielt sich artig bei Fuß, und Dorchen sammelte ab und zu etwas in ihre Trommel.

Auf einmal aber schlich sich Dorchen hinter Onkel Rabe und steckte ihm einen Gummifrosch in den Kragen.

115

Damit er auch richtig kalt und glibberig war, hatte er in der Blechtrommel in Wasser gelegen. Onkel Rabe kreischte entsetzt und schüttelte sich – er tat nicht etwa nur so, als ob es sich gräßlich anfühlte.

Das Publikum lachte schon.

Dorchen steckte nacheinander fünf Frösche in Onkel Rabes Kragen. Dann riß sie ihm den Hut vom Kopf und lief damit weg.

Während Onkel Rabe seine Glatzenperücke befühlte und sich immer noch Frösche aus dem Hemd schüttelte, sagte ich leise zu Fifi: „Los!" Da begann Fifi, um mich und den Onkel im Kreise zu jagen, natürlich mit Gebell und Gejaule, bis er uns die ganze lange Leine um die Beine gewickelt und uns zu einem Bündel verschnürt hatte.

Das Publikum schrie schon vor Begeisterung.

Onkel Rabe in seinem Ärger – er ärgerte sich wirklich! – schlug um sich und verheddderte sich in meinem Schmetterlingsnetz. Dorchen schlich sich von der Seite an und raubte Onkel Rabe seinen Spazierstock. In diesem Augenblick sagte ich leise zu Fifi: „Zurück!" Fifi, der inzwischen ja auch an unsere Füße gefesselt hing, fing eifrig an, in der andern Richtung um uns herumzurennen, so daß die Leine nach und nach wieder abgewickelt wurde.

Kaum daß Onkel Rabe wieder frei war, jagte er hinter Dorchen her, wobei er mehrmals über seine Schuhe stolperte. Er stolperte nicht etwa absichtlich. Diese Schuhe waren nicht zum Rennen geeignet. Die beiden liefen einmal um den ganzen Manegenrand herum, Dorchen immer gerade so weit vor Onkel Rabe, daß er sie nicht mehr packen konnte. Fifi begleitete Onkel Rabe kläffend und schleifte die meterlange Leine nach. Den Schluß machte ich mit meinem Schmetterlingsnetz.

Das Publikum konnte inzwischen nur noch ächzen.

Aber unsere Nummer war immer noch nicht zu Ende. Denn plötzlich warf Dorchen Stock, Hut und Botanisiertrommel von sich und schlug Rad. Onkel Rabe verfolgte sie, ebenfalls radschlagend. Beide kamen auf diese Weise viel schneller vorwärts als laufend, vor allem Onkel Rabe, den seine langen Schuhe nun nicht mehr behinderten. Sie wirbelten auf den Ausgang zu, Fifi und ich sammelten alles auf, was sie hinterlassen hatten (auch die Gummifrösche), dann machten auch wir uns davon.

Tante Emil hatte recht gehabt. Das Publikum lag vor Lachen unter den Bänken.

Hinter dem Ausgang standen alle Zirkusleute versammelt und beglückwünschten Onkel Rabe zu seinem Erfolg. Der war aber immer noch wütend auf Theo-Dorchen, die ihm so mitgespielt hatte.

„Das machst du nicht noch mal mit mir, du Schlingel", schimpfte er, noch während wir wieder in die Manege traten, um uns für den langen Beifall zu bedanken. Erst nach einem Weilchen fing Onkel Rabe an, über sich selbst zu lachen und sich zu freuen.

„Es war ja nicht ganz richtig, so wie es war", sagte er kopfschüttelnd, „aber anscheinend war ich doch komisch. Wenn ich mich auch über den Schlingel, den Theo, *wirklich* geärgert habe."

Nach drei oder vier dieser Erfolge war Onkel Rabe gar nicht mehr wiederzuerkennen. Anstatt ängstlich und verdrießlich herumzuschleichen, wurde er lustig und selbstbewußt. Vorher hatten die anderen Zirkusleute ihn bedauert und auf ihn herabgesehen. Jetzt bewunderten sie ihn. Wie man hörte, kamen die Zuschauer, die sich die Vorstellung zum zweitenmal ansahen, nicht nur wegen Rosabella oder der reitenden Kinder, sondern auch wegen Onkel Rabes Nummer.

Zu uns war er nun sehr freundlich. Er behandelte uns wie seine eigenen Kinder. Abends erzählte er uns von seiner Tochter und nannte uns, obgleich wir die Schleifenkleider und Zopfperücken wieder abgelegt hatten, ab und zu: „Meine kleinen Mädchen". Theo wollte sich jedesmal halb totlachen.

Eines Abends, als das Publikum besonders wild geklatscht hatte, fragte er plötzlich: „Was wollt ihr denn einmal werden?"

Wir lagen schon in Tante Geesches Nachthemden in dem schmalen Bett, Dorchen mit dem Kopf oben, ich mit dem Kopf am Fußende, weil wir so mehr Platz hatten. Auf die Frage hin setzten wir uns beide auf und machten große Augen.

„Kapitän", sagte Dorchen nach einer halben Minute.

„Maler", fiel mir ein.

„Weshalb wollt ihr denn eigentlich nicht zum Zirkus gehen?" fragte Onkel Rabe. „Da kommt man so gut in der Welt herum wie mit einem Schiff, und zu malen gibt es jeden Tag etwas. Am besten, ihr schreibt eurer Tante Geesche nach Barmbek, ihr wollt für immer beim Zirkus bleiben. Wo ihr jetzt eine so schöne Nummer mit mir habt. Wir üben und denken uns immer noch mehr aus. Zum Schluß kommen die Leute nur wegen uns in den Zirkus. – Wir stehen in der Zeitung. – Wir können mehr Eintritt nehmen. – Der Zirkus wird größer. – Wir treten auch in den großen Städten auf. – *Rabelli, der berühmte Clown.*"

Onkel Rabe saß mit glänzenden Augen in seinem Bett und blickte in eine großartige Zukunft.

„Das wäre keine schlechte Idee", sagte Theo am nächsten Morgen zu mir. „Wir könnten wirklich beim Zirkus bleiben. Neben der Clowns-Nummer lerne ich reiten und Salto und vielleicht doch noch seiltanzen."

Mir wurde angst und bange. Wenn Theo sich das ernsthaft in den Kopf setzte, was wurde dann aus mir? Ich konnte ja noch nicht einmal radschlagen.

„Hast du denn gar keine Sehnsucht nach den Eltern und der Großmama?" fragte ich.

„Ach, doch", antwortete Theo. Man konnte es hören. Er hatte kein bißchen Sehnsucht.

An einem Regentag saßen wir morgens bei Laura und William. Sie kramten und räumten in ihren Sachen herum und zeigten uns ihre Schätze. Zum Schluß holte William ein Paar wunderschöne kleine Stiefel aus weißem Leder hervor. Sie fühlten sich so weich und leicht wie Handschuhe an. „Von meiner Mutter", erklärte er. „Die hat sie beim Reiten getragen."

Und Laura hielt uns einen goldenen Fingerring hin. Einen Siegelring. Auf der Platte aus bläulichem Stein war ein Bild eingeschnitten.

„Von meinem Vater", sagte Laura. „Das ist sein Wappen. Das Wappen unserer Familie."

Sie sagte: „*Unserer* Familie."

„Lebt der alte Lord noch, euer Großvater?" fragte ich schüchtern.

Laura nickte. „Vater Rabe hat sich erkundigt. Vater Rabe ist unser Vormund."

Dorchen legte den Siegelring wieder hin, den sie studiert hatte. Sie begann: „Also wenn ihr ein bißchen älter seid und William kann den Salto von Pferd zu Pferd und Laura –"

„Ich kann dann unter dem Pferdebauch auf die andere Seite klettern beim Traben", fügte Laura ein.

„Laura klettert also unter dem Pferd durch. Dann geht ihr doch sicher zu einem großen Zirkus, der ganz Europa bereist."

„Auch nach Amerika vielleicht", sagte William.

„Und auch nach England. Dann kann es ja leicht passieren, daß der alte Lord euch sieht, bei einer Vorstellung in London. – Seid ihr euerm Vater eigentlich ähnlich?"

William nahm eins der Bilder herunter. Wir verglichen Mr. James' Gesicht mit denen seiner Kinder. Dorchen strich William die braunen Locken von der Stirn zurück.

„Du siehst deinem Vater ja unerhört ähnlich", rief sie. „Laura gar nicht."

„Ich sehe aus wie meine Mutter", sagte Laura.

„Die war sehr hübsch", setzte William hinzu.

Dorchen interessierte sich mehr für die praktische Seite der Ähnlichkeit.

„Der alte Lord sieht dich also im Zirkus. In der Pause kommt er nach draußen und erkennt in dir seinen Enkelsohn. Er drückt euch beide an sein Herz und nimmt euch mit auf sein Schloß. Dann bist du Lord William, und du bist Lady Laura." Dorchen war sehr zufrieden mit dem Schluß ihres Romans.

„Wir würden nicht mitgehen", sagte William.

„Was? Nicht auf das Schloß? Warum nicht?"

„Weil wir Zirkuskinder sind. Wir wollen in der Welt herumreisen, von einer Stadt zur andern, von einem Land zum andern. Reiten, Kunststücke machen, die noch keiner fertiggebracht hat."

„Wir wollen so leben wie unsere Eltern", vollendete Laura.

Dorchen war enttäuscht.

„Ihr wollt nicht auf das Schloß?" fragte sie noch einmal. „Ihr wollt lieber in einem Zirkuswagen wohnen?"

Ich war froh, daß Dorchen nicht „in einem *ollen* Zirkuswagen" gesagt hatte. Auch wunderte ich mich über meine Schwester. Hatte sie nicht kürzlich selbst unser Vaterhaus, zwar kein Schloß, aber doch eine ansehnliche Villa, gegen einen Zirkuswagen eintauschen wollen?

Wir waren inzwischen in der Gegend von Deutschland angelangt, welche die Lüneburger Heide heißt. Auf sandigen Straßen zwischen Wäldern, Feldern und Heideland zogen wir kreuz und quer, von diesem Kirchdorf zu jenem, immer so weit, daß sich genügend neue Zuschauer einfanden. Wir blieben nur zwei Tage an einem Ort. Nicht immer hatten wir viele Besucher, denn das Land war spärlich bevölkert. Aber die Bauernhäuser, die sich um die festen, kleinen Kirchen scharten, sahen behaglich und altertümlich aus mit Reetdächern, großen, runden Wagentoren und kleinen Fenstern, von Scheunen und Schuppen aus verwittertem Eichenholz umgeben. Schweine quiekten, bunte Hühner scharrten und pickten, freundliche blonde Heidekinder spielten barfuß im warmen Straßensand und hielten meist große, helle Butterbrote in der Hand, von denen wir auch gern abgebissen hätten.

Die Heideleute waren besonders dankbare Zuschauer. Niemand hatte William und Laura herzlicher bewundert, Rosabella und die Akrobaten mehr bestaunt und den Elefanten mit den Ziegen so bejubelt. Dabei ging alles hübsch ruhig und gesittet zu; selbst wenn Onkel Rabe das freche Dorchen jagte, wurde nicht gekreischt, sondern eher gekichert.

Die Abendvorstellung in Undeloh verlief zuerst ganz wie gewöhnlich. Im ersten Teil trat der Jongleur auf, Misra mit dem Elefanten, Rosabella und nach ihr der Feuerschlucker. Dann folgte eine Pause von einer Viertelstunde. Das Publikum konnte entweder zusehen, wie das Stangengerüst für die Akrobaten aufgebaut wurde, oder die Leute konnten zum Stallwagen kommen und den Elefanten aus der Nähe betrachten. Das taten eine ganze Menge. Misra, der Wärter, sah am Abend noch indischer aus als am Tage, weil er einen Turban trug und mehr als nötig mit den Augen rollte. Er ließ jeden, der fünf Pfennig bezahlen wollte, aus einem Korb einige Mohrrüben nehmen und sie dem Elefanten reichen. Man sah, wie es den Geber angenehm gruselte, wenn der Finger des runzeligen Rüssels seine Hand berührte. Die Umstehenden stießen sich an, als die Mohrrübe zwischen den erstaunlichen Stoßzähnen hindurch im Maul untergebracht wurde.

Nach der Pause turnten die Akrobaten an dem Gerüst. Hinterher sollte es eigentlich sofort wieder weggeräumt werden, aber an diesem Abend war das nicht möglich.

Einer der beiden Männer, die mit dem Gerüst umgehen konnten, hatte sich ganz entsetzlich die Hand gequetscht, und während die Akrobaten sich verbeugten, suchte Tante Emil nach Verbandszeug. Das Gerüst mußte vorläufig stehenbleiben.

„Es ist ja nicht schlimm", sagte Vater Rabe beruhigend zu Onkel Rabe. „Ihr könnt eure Nummer auch unter dem Gerüst vorführen. Reg dich nur nicht auf, Gottlieb. Theo und Max machen das schon."

Wir begaben uns also auf unseren „Sonntagsspaziergang", und die vier Stahlstangen, die das Gerüst trugen, störten nicht dabei. Im Gegenteil, sie waren gut zu gebrauchen. Onkel Rabe und ich standen gerade neben einer solchen Stange, als Fifi uns mit der Leine umwikkelte. Er fesselte uns diesmal nicht nur aneinander, sondern auch noch an einen Pfahl. Das gefiel den Zuschauern besonders.

Theo-Dorchen war unerhört ausgelassen. Mehrmals kletterte sie ein Stück an einer Stange empor oder schaukelte auf der herabhängenden Strickleiter. Dann begann die Jagd um den Manegenrand. Theo-Dorchen stürmte mit Onkel Rabes Hut und Stock voran, Onkel Rabe, so gut es in den langen Schuhen ging, ärgerlich hinterher, und ich folgte den beiden. Dicht neben mir lachten die Zuschauer und feuerten uns durch Rufe an. Bums, lag Onkel Rabe wieder einmal im Sägemehl. Während ich wartete, daß er wieder hochkam, fiel mein Blick auf die Zuschauer neben mir in der ersten Reihe. Stadtleute. Eine blonde junge Dame mit einem hellblauen Strohhut. War es nicht Anna? Es war ja unsere Schwester Anna! Neben ihr saß Herr Uhl, ihr Verlobter. Ich starrte Anna mit aufgerissenen Augen an, auch sie sah mir forschend ins Gesicht. Dann merkte ich, daß Onkel Rabe schon wieder rannte, und ich rannte hinterher, halb blind und taub vor Aufregung.

Die Zuschauer machten einen ungewöhnlichen Spektakel. Manche der ruhigen Heideleute standen sogar von den Bänken auf. Und jetzt sah ich auch, was sich inzwischen in der Manege abspielte. Anstatt wie sonst die Flucht radschlagend fortzusetzen, war Theo-Dorchen dabei, auf das Gerüst zu klettern. Sie hatte sich von Rock und Unterröcken befreit und befand sich schon ziemlich hoch oben auf der Strickleiter in Krischan Krögers geflickten Hosen, die sie genau wie ich unter den Mädchenkleidern trug. Dann bestieg sie eine der Stahlstangen und turnte daran entlang, mal mit dem Kopf nach oben, mal nach unten hängend. Nun riß sie sich die Zopfperücke ab und versuchte auch noch, die Mädchenbluse abzustreifen.

Onkel Rabe und ich waren außer uns vor Angst. Es sah lebensgefährlich aus, was Dorchen in fünf oder sechs Metern Höhe anstellte. Die Zuschauer wußten nicht, ob sie lachen oder sich gruseln sollten. Onkel Rabe bemühte sich vergeblich, mit seinen langen Schuhen die Strickleiter hinaufzukommen. Ich wollte es in meiner Angst wahrscheinlich auch versuchen, denn ohne genau zu wissen, was ich tat, warf ich ebenfalls das Mädchenkostüm ab und stand plötzlich als kleiner blonder Junge da. Ich weinte, Onkel Rabe schüttelte verzweifelt die Arme, die Zuschauer lachten und stampften mit den Füßen.

Endlich hatte Dorchen da oben genug von Überschlag und Knie- und Zehenhang. Sie rutschte eine der Stangen herab, und unser Auftritt nahm unter großem Beifall ein Ende.

Draußen packte ich Dorchen am Arm.

„Anna ist hier mit Herrn Uhl", sagte ich.

Sie verstand mich erst nicht, dann wollte sie es nicht glauben. Aber als wir noch einmal in die Manege liefen, um uns zu verbeugen, sah Dorchen unsere Schwester Anna auch. Sie sagte gerade etwas zu Herrn Uhl und deutete zu uns beiden hin.

In der großen Aufregung, die wegen Onkel Rabes

Nummer und der gequetschten Hand des Arbeiters draußen unter den Zirkusleuten herrschte, zog Dorchen mich schnurstracks in unsern Wagen. Sie holte die Reisetasche unter dem Bett hervor und stopfte unsere Nachthemden und anderen Kleinigkeiten hinein.

„Was machst du?" fragte ich entgeistert.

„Wir gehen weg, jetzt sofort. Sie hat uns erkannt. Sie wird gleich kommen und uns holen. Dann muß ich in das Institut in der Schweiz."

„Wohin sollen wir denn aber?"

„Egal. Einfach weg. Wir finden schon was."

Seit Dorchen oben auf der Stange geturnt hatte, waren wohl noch nicht zehn Minuten vergangen, als wir mit unserer Reisetasche zwischen den Wagen hindurch von den bunten Lampen des Zirkusplatzes weg in die Dunkelheit hineinliefen.

5. Kapitel

Und in was für eine Dunkelheit! Selbst als sich die Augen daran gewöhnt hatten, konnten wir kaum die Dorfstraße erkennen. Wir waren froh, als wir unter den großen Eichen herauskamen, die die Gehöfte umgaben, da hob sich wenigstens der helle Sand des Weges etwas ab zwischen den Heideflächen auf beiden Seiten. So dunkel war es abends noch nie gewesen auf unserer Reise mit dem Zirkus; im Gegenteil, manchmal lag noch ein Schimmer der untergegangenen Sonne im Nachthimmel. Jedoch an diesem Tag hatte sich schon nachmittags eine Wolkendecke zusammengezogen und immer weiter über den Himmel geschoben; so war jetzt kein Mond und kein einziger Stern zu sehen in der Schwärze, aber ab und zu zuckte ein Wetterleuchten, und ihm folgte nach einiger

Zeit ein leises Grollen von weit her. Dabei war es windstill und warm.

Nachdem wir eine gute Weile so gelaufen waren, manchmal ein Stück im Trab, immer so schnell wir konnten, mußten wir ein wenig rasten. Von dem Dorf war nichts mehr zu sehen und zu hören – nicht einmal die Hunde bellten in der gewittrigen schwarzen Schwüle.

Dorchen zog mich ein paar Meter ins Heidekraut hinein zu einem Gebüsch, das sie ausgemacht hatte.

„Hier können wir uns ducken, wenn sie kommen und mit Laternen nach uns suchen", sagte sie.

Da merkte sie, daß ich weinte.

„Gretchen!" fing sie an – in dem Ton, den sie hatte, wenn sie mit mir böse war –, aber dann kam auf einmal ein Schluchzer, und Dorchen weinte auch. Wir setzten uns dicht nebeneinander in die harten, rauhen Heidebüsche, umschlangen einander und weinten und weinten.

„Wenn wir doch wenigstens einen Zettel für Onkel Rabe hingelegt hätten", schluchzte ich zwischendurch.

„William und Laura", stieß Dorchen hervor, „die werden wir nie wiedersehen."

„Was wird Onkel Rabe jetzt ohne uns machen? Ohne uns lacht doch keiner über ihn. Dann wird er wieder ganz traurig."

„Ich hätte den Salto noch gelernt, ich hätte auch gelernt, auf Alberich zu reiten. Ach, wenn William und Laura doch irgendwo wohnten, wo man sie einmal besuchen könnte."

„Anna, ich habe Anna gesehen. Sie sah lieb aus. Ich wäre so gern zu ihr gegangen."

„Vielleicht wären wir mit der Zeit auch echte Zirkuskinder geworden wie William und Laura. Ich hätte reiten gelernt und wäre so ein berühmter Reiter geworden wie Mr. James."

„Aber Dorchen", wandte ich nun ein, nachdem ich mir die Nase geputzt hatte, „höchstens doch wie Signorina

Alba. Denn du bist ja doch ein Mädchen, auch wenn es keiner gewußt hat."

Dorchen sagte nichts dagegen, und wir schwiegen eine Zeitlang, schnieften gelegentlich und hingen traurigen Gedanken nach, jede ihren besonderen.

Mein Vorschlag, nach ein paar Stunden einfach in Onkel Rabes Zirkuswohnung zurückzukehren, weil ja die Vorstellung aus und Anna und Herr Uhl sicher längst weggegangen wären, wurde von Dorchen abgelehnt.

„Aber Gretchen", sagte sie, und jetzt klang ihre Stimme schon fast wieder wie gewöhnlich, wenn sie mit mir schimpfte, „du bist doch zu dumm. Du glaubst doch nicht, daß Anna einfach nach Hause geht, wenn sie uns gesehen hat. Natürlich sucht sie uns. Wahrscheinlich sind sie schon dabei, sie haben die Polizei alarmiert und kommen mit Spürhunden hinter uns her."

Dorchen war aufgestanden, zog mich in die Höhe und ergriff unsere Tasche.

„Wir müssen weiter, noch viel weiter. Die ganze Nacht müssen wir noch laufen."

Ich war schon jetzt sehr müde. Aber was Dorchen wollte, mußte eben geschehen.

Wir liefen und liefen, wohin uns der Weg, den wir einmal eingeschlagen hatten, führte. Nach einer Stunde, es mögen auch zwei gewesen sein, kamen wir durch ein kleines Dorf – ein paar Höfe nur, da waren wir schon wieder draußen in der Heide. Nirgends brannte mehr Licht, noch immer war es schwül und stockfinster; wenn nicht das Wetterleuchten gewesen wäre, das uns von Zeit zu Zeit eine Gegend zeigte, hätten wir glauben können, in einem Keller herumzustolpern.

Je weiter wir auf diese Weise kamen, desto unheimlicher wurde mir zumute. Es rührte sich nichts in der Heide, der Widerschein der fernen Blitze zeigte ein weites Tal, von unzähligen einzelnen Baumgestalten bevölkert, die herumstanden wie eine verstreute Menschenmenge.

Aber ehe man begreifen konnte, was man sah, versank alles wieder in Schwärze.

„Wacholderbüsche", sagte Dorchen beruhigend. „Die kennen wir ja. Die wachsen hier überall."

„Hast du denn keine Angst?"

„Doch. Ein bißchen. Aber nicht viel. Ich denke einfach: Wir müssen weiter."

„Aber wohin?" Das hatte ich fast gerufen, obgleich wir die ganze Zeit über leise sprachen.

„Ach", sagte Dorchen unbestimmt. „Wir gehen noch ein Stück, dann finden wir schon etwas. Vielleicht ein . . ."

Ja, was? Nicht einmal Dorchen konnte sich etwas ausdenken, ein Plätzchen, wo wir uns hätten verkriechen wollen. Das Land, das wir in der gruseligen Beleuchtung ab und zu um uns hergebreitet sahen, bot keinerlei Unterschlupf für uns beide, kein Hüttchen, Wäldchen, Gebüsch, nur standen überall diese schrecklichen schwarzen Baumfiguren herum.

Wenn ich nicht so todmüde gewesen wäre, hätte ich mich noch viel mehr gefürchtet. Inzwischen trottete ich fast wie im Schlaf neben Dorchen den Weg entlang, ohne zu merken, ob er bergauf oder bergab führte oder eine Biegung machte. Das Wetterleuchten war vorbei, schon lange hatten wir nichts mehr wahrgenommen als den Schimmer des Sandweges unter unseren Füßen.

„Wir legen uns einfach an den Wegrand und schlafen", sagte Dorchen endlich.

In dem Augenblick hörten wir einen Hund bellen. Nicht von weit her, sondern ganz in der Nähe. Und nun zeigte uns ein letzter schwacher Wetterschein eine Baumgruppe und die Umrisse eines Hauses. Unser Weg führte gerade darauf zu. Wir liefen unter die Bäume hinein und tasteten uns zur Hauswand hin. Hohes, trockenes Gras wuchs da, wir streckten uns nebeneinander, die Tasche zwischen uns. Im Hause bellte der Hund noch ein- oder zweimal. Ich dachte: Wie viele Leute schlafen da wohl? Wie sie alle schnaufen und atmen und mit ihren Strohsäcken knistern!

Noch ehe ich nach Meta in der Tasche fühlen konnte, schlief ich auch.

Ich erwachte von der Wärme und dem Glanz der Morgensonne und dem Gebell eines Hundes. Da stand er vor mir, ein schwarz und weiß gescheckter, lockiger Hund mit lustigem Gesicht. Er bellte mich an, aber er machte mir keine Angst. Nun trat ein Mann neben ihn, an dem ich von den Füßen bis zu seinem Kopf hinaufsah. Er schaute über einem schönen weißen Bart mit blauen Augen auf mich nieder, schüttelte den Kopf und sagte: „Düwel ook!" (Was soviel bedeutet wie: Ei der Teufel!)

„Guten Morgen", hörte ich Dorchen auf der anderen Seite der Reisetasche sagen, und ich sagte dasselbe.

Der alte Mann schüttelte immer nur seinen Kopf, der Hund bellte wieder, und Dorchen und ich setzten uns in die Höhe. Dabei warfen wir uns einen Blick zu. „Ach du allerliebste Güte", brachte ich hervor und Dorchen: „Heiliger Bimbam!"

Jetzt verstanden wir, warum der Mann so staunte, denn wir boten einen ganz unbeschreiblichen Anblick. Wir hatten noch die geschminkten Clownsgesichter vom vergangenen Abend, weiß, feuerrot, grün und schwarz, aber verschmiert von Tränen. Wir sahen im Gesicht gar nicht wie Menschen aus.

Ich war gespannt, was Dorchen nun zusammenflunkern würde. Zu meiner Überraschung sagte sie beinahe wahrheitsgemäß: „Wir sind Zirkuskinder, wir haben uns nur angemalt für die Vorstellung, aber das kann man leicht abwaschen. Wir sind nämlich vom Zirkus weggelaufen."

„Naa!" sagte der weißhaarige Mann und schüttelte wieder den Kopf. „Und nu?"

129

„Wir möchten hier ein bißchen wohnen, wenn wir dürfen", sagte Dorchen. „Vielleicht können wir mithelfen, Kühe melken oder Pferde striegeln. Ich heiße Theo, und das ist mein Bruder Max."

Der Mann lachte ein bißchen, schüttelte wieder den Kopf und sagte, ohne auf Dorchens Vorschläge einzugehen: „Habt wohl Hunger, was?" Dann verschwand er um die Ecke des Hauses.

Jetzt sahen wir uns zum erstenmal um. Ein merkwürdiges Bauernhaus war das doch! Das Strohdach an der langen Seite, an der wir geschlafen hatten, reichte fast bis auf die Erde, die Wand bestand aus grauen, groben Holzbrettern, und Fenster hatte das Haus anscheinend gar keine. Der große Hof war leer bis auf einen Ziehbrunnen mit einem langen Baumstamm als Wippe, an dem die Stange für den Eimer hing. Kein Mensch war zu sehen, aber aus dem Haus tönte Blöken und Getrappel.

Da kam der alte Mann wieder um die Hausecke mit einem Krug und zwei riesigen Butterbroten.

„Das eßt und trinkt, und dann bleibt oder geht weiter. Ich ziehe jetzt jedenfalls aus; am Abend komme ich wieder", sagte er, und ehe wir uns Gedanken darüber machen konnten, was er meinte, verstanden wir alles mit einem Male. Eine gewaltige Schafherde quoll aus dem großen runden Tor an der Giebelseite, zwei Hunde

130

trabten rechts und links, um sie zusammenzuhalten, und der Mann schritt mit ihnen den Weg in die sonnige Heide hinaus.

„Das ist ein Schäfer", bemerkte ich überflüssigerweise, und Dorchen ergänzte: „Und das ist ein Schafstall."

Dann lachten wir, saßen in der Sonne, tranken die Milch aus dem Krug und aßen die Butterbrote.

Nach dem Frühstück versuchten wir, Wasser aus dem Brunnen zu schöpfen. Wir wußten, wie es gemacht wurde, und es gelang uns auch, weil die Wippe mit dem Gewicht an der kurzen Seite uns die Arbeit erleichterte. Nun konnten wir uns waschen, so daß wir wieder menschliche Gesichter bekamen, und den Staub der nächtlichen Wanderung abspülen. Wir erforschten den Schafstall, den der Schäfer offengelassen hatte, und fanden daneben noch eine Hütte, auch aus grauen Eichenbohlen. Ein Fenster war darin, durch das wir eine Stube sahen mit einem Bett und einem kleinen Herd. Schließlich kehrten wir zu der Stelle zurück, an der wir geschlafen hatten, setzten uns mit dem Rücken gegen die warme Holzwand und redeten darüber, was nun mit uns werden sollte.

Ich versuchte, Dorchen davon zu überzeugen, daß es das beste wäre, jetzt nach Hause zurückzukehren. Bei dem Herumziehen mit dem Zirkus hatten wir die Zeit ganz aus den Gedanken verloren, so wußten wir nicht mehr genau, wie lange wir schon von Hamburg weg waren. Mir kam es vor wie eine Ewigkeit, und ich sagte: „Jetzt brauchst du dich bestimmt nicht mehr zu fürchten, daß Vater dich in ein Institut schickt. Er hat es längst vergessen."

Dorchen redete dies und jenes; sie behauptete, wir würden vielleicht den Weg nach Hamburg nicht finden, und nach so langer Zeit käme man sich doch zu dumm vor, plötzlich wieder vor der Tür zu stehen.

„Wir brauchen bloß ins nächste Dorf zu gehen und

einen Brief an die Großmama zu schicken. Die bringt
dann alles in Ordnung", erwiderte ich.

„Ich glaube", sagte Dorchen nun zu meinem
Schrecken, „ich gehe gar nicht mehr nach Hause. Was für
ein herrliches Leben haben wir gehabt. Wie schön war es
beim Zirkus. Ich denke, wir bleiben ein paar Tage hier,
und dann kriegen wir heraus, wo der Zirkus jetzt ist. Wir
fahren hinterher – mit der Eisenbahn, oder vielleicht
nimmt uns ein Bauer mit auf seinem Wagen."

Vor meinem Auge erschien Onkel Rabe, wie er jetzt so
unglücklich war und wie er sich freuen würde, uns wiederzuhaben. Dann sah ich Annas Gesicht neben Herrn
Uhl. Nun wieder Laura und William, die mir sehr lieb geworden waren. Aber jetzt mit einem Schlage den Vater,
die Mutter, die Großmama, Krischan, Klärchen – und ich
mußte wieder weinen.

Gegen Mittag legten wir uns in den Schatten und
schliefen ein. Wir schliefen viele Stunden in der tiefen
Stille. Als wir erwachten, ging die Sonne eben unter; in
dem rosaroten Schein kam der Schäfer mit der Herde zurück, und wir beobachteten, wie geschickt die beiden
Hunde die Schafe in das Stalltor drängten. Als der Schäfer
das große Tor schloß, sagte Dorchen plötzlich: „Sieh
mal!"

Auf dem Sandweg näherte sich ein Kind auf einem
Fahrrad. – Heute ist es das Allergewöhnlichste von der
Welt, ein Kind auf einem Fahrrad zu sehen, aber damals,
als ich ein kleines Mädchen war, schien es fast unglaub-
lich.

„Ein Velo!" sagte ich in der Art der Großmama.

Das Mädchen war wohl so alt wie Dorchen und trug
flachsfarbene Zöpfe. Sie mühte sich mit dem Rad auf dem
Sandweg und kam dann ganz geschickt neben dem
Schäfer zum Halten. Dorchen verschlang alles mit den
Augen.

Das blonde Kind lehnte das Fahrrad an die Stallwand,

löste von einem Gestell einen Korb, der da festgeschnallt war, und gab ihn dem alten Mann.

„Guten Abend, Ohm Thies", sagte sie, und er erwiderte: „Schön' guten Abend, Ida." Dann trug er den Korb in seine Hütte, und Ida blickte zu uns beiden herüber, die wir neugierig und etwas verlegen an der Seite standen.

Sie lächelte. Sie hatte das rundeste, freundlichste Gesicht, hellrosa wie eine Heckenrose. Die Brauen und Wimpern über ihren blauen Augen waren so silbrig wie ihre Haare. Sie trug ein dünnes Kleid ohne Ärmel.

„Ihr seid nicht aus unserm Dorf", sagte sie.

„Nein", antwortete Dorchen eifrig, die es ein für allemal übernommen hatte, uns vorzustellen. „Wir sind weggelaufene Zirkuskinder."

Ida staunte. „Wie?" fragte sie begierig, „kommt ihr etwa von dem Zirkus Rabelli? Wo die Ziegen auf dem Elefanten herumklettern?"

Wir nickten.

„Und seid ihr etwa die beiden Kinder, die so schön reiten? – Aber das könnt ihr ja nicht sein, denn ihr seid zwei Jungen, und die andern sind ein Junge und ein Mädchen, beide mit schwarzen Haaren."

„Wir sind die Clownskinder", sagte Dorchen und tat bescheiden.

Nun geriet Ida in helle Begeisterung. Sie beschrieb mit vielem Gekicher unseren Auftritt mit Onkel Rabe und Fifi, wie sie ihn vor drei Tagen im Nachbardorf gesehen hatte, unterbrach sich dann jedoch und sagte: „Aber das waren ja zwei Mädchen. Und ihr seid Jungen."

„Wir waren nur verkleidet", erklärte ich, und es schoß mir mit einemmal durch den Kopf, wie verrückt das doch alles war – was waren wir denn nun wirklich?

„Und jetzt seid ihr weggelaufen? Warum?"

„Wir konnten da nicht länger bleiben", sagte Dorchen und brachte einen wehmütigen und geheimnisvollen Ausdruck zustande.

Neben Ida trat jetzt Ohm Thies.

„Ihr werdet wohl wieder Hunger haben", vermutete er. „Kommt mal in die Hütte, die Suppe reicht für euch mit."

In der Hütte rückten wir auf der Bank zusammen, Ohm Thies saß auf einem Schemel, Ida auf dem Bett. In einer Schüssel dampfte dicke grüne Erbsensuppe mit Kartoffeln dazwischen und rosagestreiften Speckstücken – eine Suppe, wie ich sie zu Hause nie gemocht hatte. Aber diese schmeckte mir. Es war wohl nicht nur der Hunger, die Suppe schmeckte wirklich viel besser als die, die Frau Thoms zu kochen verstand. Dorchen löffelte auch eifrig (wir aßen gemeinsam aus der großen Schüssel), und dazu gab es das herrliche helle Roggenbrot.

Nach dem Dankgebet – auch vor dem Essen hatte Ohm Thies gebetet – fragte er: „Und nun wollt ihr hierbleiben? Wie lange?"

„Ach, ein paar Tage, dann ziehen wir weiter", sagte Dorchen, und ich fand, sie übertrieb es ein bißchen mit dem geheimnisvollen Getue.

»Ihr müßt aber im Stall schlafen auf Stroh."

„Tun uns die Schafe nichts?" fragte ich etwas weinerlich. Direkt im Stall bei den Tieren hatten wir auf unseren Wanderungen noch nie schlafen müssen.

Ida und Ohm Thies lachten.

„Schnucken tun keinem Menschen was", sagte Ida.

„Höchstens die Böcke", meinte Ohm Thies und zwinkerte. „Wenn der alte Blücher euch auf die Hörner nimmt."

Dann zeigte er uns, wo wir schlafen sollten. Der Vorderteil des riesigen Stalles war durch eine Lattenwand von dem eigentlichen Schafstall abgegrenzt. Hier wurden Säcke, Stroh und allerlei Geräte aufbewahrt, und hier machte Ohm Thies uns ein Lager zurecht. Er breitete Säcke über die Strohschicht und gab jedem von uns eine grobe, gestrickte Decke aus Schnuckenwolle.

Ida verabschiedete sich, sie bekam den Auftrag, am nächsten Abend Essen für uns mitzubringen. Als sie auf ihr Fahrrad stieg, fragte Dorchen sie noch schnell: „Und darf ich morgen einmal auf deinem Rad fahren?"

Es schlief sich nicht schlecht bei den Schafen. Wir zogen die langen Nachthemden an, die uns die alte Geesche gegeben und die Tante Emil mit unseren andern Sachen erst kürzlich gewaschen hatte, und waren froh, daß sie lange Ärmel hatten, denn die Wolldecken oben und die Säcke unten kratzten schrecklich auf der bloßen Haut. Natürlich war es nicht so still bei den Schafen wie unter schlafenden Menschen; sie raschelten und schnauften in einem fort, aber es klang so friedlich, und der warme Schafsgeruch war so würzig und lebendig, daß wir schliefen wie in Abrahams Schoß.

Am nächsten Morgen zogen wir mit Ohm Thies in die Heide.

Dreihundert Schafe waren etwa in der Herde. Natürlich waren es Heidschnucken, keine solche kräuselwolligen Sandmännchenschafe, wie wir bisher kannten, meist übrigens von Bildern. „Schnucken", sagten die Heideleute bloß.

Sie waren klein und zierlich, nicht größer als Schäferhunde. Wie eine Decke oder einen Mantel trugen sie ihr langes Fell über den dünnen Beinchen. Das Gesicht und die Beine stachen seidig-schwarz von dem Grau oder Braun des Rückenfelles ab. Sie alle hatten Hörner, wie eine Mondsichel nach hinten gebogen, aber einige, die etwas größer waren, hatten auch größere Hörner, deren Spitzen sich noch einmal ringelten. Man konnte sehen, daß die Hörner zu einer Spirale werden würden, wenn sie noch weiter wüchsen. Die Pupillen in ihren gelblichen Augen waren waagerechte Schlitze, das gab ihnen einen hochmütigen Blick.

Nachdem Ohm Thies noch einmal nachgeschaut hatte,

ob auch keins im Stall zurückgeblieben war, begab er sich an die Spitze der Herde und ging mit großen Schritten in die Heide hinein. Die Schnucken folgten ohne weiteres, niemand brauchte sie zu scheuchen oder zu rufen. Sie rannten alle dicht an dicht in einer großen Traube hinter dem Schäfer her; auch die Hunde hatten noch nichts zu tun. Wir beide bemühten uns, Schritt zu halten.

So zogen wir dahin, die Sonne flimmerte, das Heidekraut breitete sich bräunlich und grünlich um uns her, dazwischen standen einzeln und in Gruppen kleine Birken und dunkelgrüne Wacholder. In der Ferne sahen wir den Waldsaum, aber wir zogen über das Heidekraut, denn das war es, was die Schnucken fressen wollten.

Sie fraßen, während sie rannten! Nach einer Weile ging es langsamer voran, Ohm Thies stand ab und zu ein wenig still, die beide Hunde saßen neben ihm und sahen zu, ob in dem Schnuckenvolk auch Ordnung herrschte. Die Schnucken liefen in Trüppchen hierhin und dorthin und knabberten dies und jenes im Vorbeitrippeln, sie waren ständig in Bewegung.

„Das ist Blücher", sagte Ohm Thies auf einmal und zeigte mit seinem Schäferstab.

Nahe vor uns zog er vorbei, ein großer Bock mit einem gewaltigen Gehörn! Um seinen schwarzen Kopf trug er einen Backenbart und eine Halskrause wie eine Mähne, und seine dunkelgrauen Hörner waren oben auf der Stirn

so dick wie mein Arm und ganze zweieinhalbmal gewunden, so daß die Spitzen neben seinem Gesicht furchterregend abstanden. Er trug seinen Kopf gesenkt, wie er da entlangwanderte, als seien ihm die Hörner fast zu schwer zu tragen.

„Vor Blücher muß man sich in acht nehmen, das ist ein Biest", teilte Ohm Thies uns mit. „Er fängt ständig Streit an. Siehst du!" rief er und dann: „Rex, los!"

Blücher jagte einen Trupp harmlos weidender Schnucken vor sich her, die zu einem kleineren Widder gehörten. Dem wollte Blücher wohl zeigen, wer Herr in der Herde war. Aber nun kam Rex herangeschossen, der große schwarze Hütehund, und kniff Blücher von hinten ins Bein, so daß er einen Sprung über die nächste Schnucke hinweg machte und das Weite suchte.

Rex kam zurück; ich versuchte, den bösen grauen Blücher im Auge zu behalten, um zu sehen, was er nun wohl anstellen würde. Es war schwer, in der unruhigen Herde ein Tier festzuhalten, aber es gelang mir für ein paar Minuten.

„Jetzt prügelt er sich schon wieder!" rief ich bald und glaubte, nun würde Rex wieder losgeschickt, aber Ohm Thies sah hinüber, wo Blücher und ein anderer Bock gegeneinanderrannten, und lachte.

„Er haut sich mit dem Wrangel", sagte er. „Das darf er. Der Wrangel ist auch so ein Raufbold und fast genauso stark."

„Oh, oh", rief ich besorgt, „sie schlagen sich so schrecklich mit den Hörnern, daß es kracht. Sie werden sich noch die Köpfe einschlagen."

Wrangel, ein dickes braunes Ungetüm, stürmte eben gesenkten Hauptes mit Wucht gegen Blücher wie gegen einen Felsblock. Horn krachte auf Horn, ein Wunder, daß sie dabei nicht abbrachen.

Ohm Thies grinste bloß, sagte etwas zu den beiden Hunden und marschierte los. Die Hunde nahmen die

Herde von beiden Seiten in die Zange und brachten sie wieder auf den Weg. Dabei jagte Prinz, mein schwarz-weißer, lustiger Freund, den braunen Wrangel ein Stück, so daß die Kämpfer getrennt wurden.

Gegen Mittag waren wir in einer Gegend angekommen, wo ziemlich viele Birkenbäumchen zwischen dem Heidekraut sproßten und ein paar Kiefern auf einem kleinen Hügel zusammenstanden. Unter diese setzte sich Ohm Thies, ließ die Herde sich ausbreiten und knabbern und packte seine lederne Tasche aus, die er an einem breiten Riemen umgehängt trug. Brot, harte Wurst und eine Flasche Kaffee waren darin; Ohm Thies zog sein Messer aus der Tasche, Dorchen das ihre. Ich bekam von beiden abwechselnd etwas abgeschnitten vom Brot und von der Wurst. Ach, was schmeckte das gut! Auch die Hunde bekamen ihr Teil und dazu Wasser in einen Napf gegossen, den Ohm Thies bei sich trug.

„Nun erzählt doch mal", sagte Ohm Thies, als der erste Hunger gestillt war, „wieso seid ihr denn von dem Zirkus weggelaufen? Werden eure Eltern euch nicht suchen? Die sind doch sicher auch bei dem Zirkus."

„Wir haben keine Eltern mehr", antwortete Theo-Dorchen wehmütig. „Wir haben unsere Eltern nie gekannt." – Es hörte sich sehr schön und traurig an, wie sie das so sagte.

„Donnerschlag", wunderte sich Ohm Thies, „nie gekannt? Aber jemand muß euch doch aufgezogen haben. Vielleicht eine Tante?"

„Ach", sagte Theo-Dorchen melancholisch, „das ist eine lange Geschichte. Es ist ja auch schon so lange her."

„Ja, ja", meinte Ohm Thies, und ich glaube, er griente ein bißchen, „schon ungeheuer lange ist das her. Erzählt doch mal, Theo und Max, woher stammt ihr denn überhaupt? Wo seid ihr zur Welt gekommen?"

„In einem Dorf der Abruzzen", antwortete Theo zu meinem größten Erstaunen. Ich fragte mich im stillen, was für Leute das wohl wären, die Abruzzen. Und weil ich doch auch etwas beitragen mußte zu den Berichten über unsere Herkunft, fügte ich hinzu: „Sie waren sehr nett zu uns, die Abruzzen."

Theo blickte mich überrascht von der Seite an, und der alte Heidjer kraulte seinen Bart.

„Wie lange habt ihr denn da gewohnt, bei den Abruzzen?"

„Ich war sechs, und Max war vier, als wir weggingen – mit dem Zirkus."

„Da habt ihr doch sicher noch Abruzzisch gelernt und gesprochen als Kinder?"

„O ja", sagte Theo, der sich wieder gefaßt hatte, mit vergnüglich blitzenden Augen. „Ui miauzo, das heißt Guten Tag, und Miso baluzzi Auf Wiedersehen."

„Kannst du auch noch ein bißchen Abruzzisch, Max?" fragte Ohm Thies.

„Ach . . . ja", stotterte ich und würgte und japste, damit mir etwas einfiel. „Schnuckipuzzi", sagte ich dann.

„Stimmt!" rief Ohm Thies. „Schnuckipuzzi! Das heißt Guten Appetit. Ich kann nämlich auch ein bißchen Abruzzisch. – Nun laßt uns doch alle drei mal eine kleine Unterhaltung führen auf abruzzisch."

Das taten wir denn auch. Wir saßen auf dem niedrigen Hügel unter drei knorrigen Kiefern, blickten auf die ernste Heide und die Schnuckenherde im flirrenden Mittagslicht und brachten abwechselnd Reden in den merkwürdigsten Lauten hervor. Ohm Thies und Theo führten das große Wort, sie fragten sich was und gaben Antwort, sie staunten und wehrten ab, stimmten zu und lachten, sie bejahten und verneinten – das konnte man alles genau verstehen, nur wußte keiner, wovon die Rede war. Ich warf auch ab und zu ein Wörtchen dazwischen, dann klopfte mir Ohm Thies immer freundlich auf die Schulter.

Und die Hunde? Sie hatten zuerst rechts und links

neben uns gesessen und friedlich in die Gegend und auf die Herde geschaut. Während dieses wilden, ausländischen Wortwechsels jedoch standen sie auf, schüttelten hin und wieder ihre Köpfe, als ob sie ihren Ohren nicht trauten, und bellten sogar.

Nach einer ganzen Weile wischte sich Ohm Thies die Lachtränen aus dem Bart und sagte erschöpft: „Düwel ook!"

Im übrigen gab er sich zunächst keine Mühe mehr, Genaueres über unsere Herkunft zu erfahren. Wir kamen vom Zirkus, das bedeutete für Ohm Thies und wahrscheinlich für die meisten Leute, daß wir sowieso kein richtiges Zuhause hatten, sondern in unordentlichen Verhältnissen herumzogen. Was kam es da darauf an, ob und warum wir weggelaufen waren?

Ida erwartete uns schon, als wir abends beim Stall ankamen. Sie hatte in der Hütte eine große Pfanne Bratkartoffeln bereitet und war eben dabei, Pfannkuchen zu backen. Auf einem Holzbrett lag kaltes Rauchfleisch in Scheiben.

„Schnuckipuzzi", sagte Ohm Thies, und wir aßen wie die Scheunendrescher. Wir waren viele Kilometer mit der eiligen Herde herumgezogen, und das Essen schmeckte herrlich, vor allem die Pfannkuchen, auf die man sich braunen Honig träufelte.

„So habe ich noch nie Pfannkuchen gegessen", sagte Theo und leckte sich die Finger.

„Buchweizenkuchen", erklärte Ida. „Das gibt es nur bei uns."

Dazu tranken wir ein schäumendes, süß-prickelndes Getränk, das wir auch noch nie gekostet hatten.

„Honigbier", sagte Ohm Thies, „gut für starke Schnuckenschäfer." Und er erzählte, wie es einmal gewesen war, als Idas Bruder dem Wrangel Honigbier zu trinken gegeben hatte.

Ida blieb noch ein bißchen nach dem Abendbrot. Sie

wollte Theo auf ihrem Rad fahren lassen. Der von den Schnucken festgestampfte Hof eignete sich gut. Aber ganz so leicht, wie es aussah, schien das Radfahren nicht zu sein. Theo kippte mehrmals um, meist krachte er mit dem ganzen schweren Rad zu Boden.

„Ach, ich dachte, du kannst es schon", wunderte sich Ida. „Zirkuskinder sind doch so geschickt!"

Theo schämte sich und fing an, auf dem Platz radzuschlagen, um zu zeigen, daß er doch etwas könne. Ich wußte, wie leid es ihm in diesem Augenblick tat, daß er den Salto noch nicht hatte lernen können.

Inzwischen hatte Ida mich überredet, auf den Sattel zu steigen. Zuerst führte sie das Rad, dann forderte sie mich auf, selbst zu lenken, und schob mich von hinten. Was für ein herrliches, ungewohntes Gefühl das war! Vielleicht zwanzig Meter, vom Stalltor bis zum Weg, meinte ich zu fliegen.

„Max kann es schon fast", sagte die gute Ida, und nun brachte sie es Theo bei, der es natürlich viel schneller lernte als ich. Am dritten Abend hatte er es heraus und fuhr gleich nach dem Abendbrot los, auf dem Weg und der Heide herum, bis Ida wieder heim mußte.

In der Zwischenzeit spielte ich mit Ida. Sie hatte ihren Ball mit, und wir spielten etwas, das ich von zu Hause kannte, nämlich „Ballschule". Man wirft den Ball gegen eine Wand und fängt ihn wieder auf. Zuerst mit beiden Händen, dann mit der rechten, dann mit der linken Hand. Dann schlägt man den Ball mit der flachen Hand gegen die Wand; immer sooft es geht. Dann köpft man ihn. Dann wirft man ihn rückwärts über die eine Schulter. Und so weiter und immer schwieriger, was einem so alles einfällt. Wer es am besten und längsten kann, ist Sieger.

Ida war eine Meisterin in der Ballschule. Sie stieß einmal den kleinen Ball mit gefalteten Händen fünfunddreißigmal gegen die Stallwand, ohne daß er herunterfiel.

Ein anderes Mal hatte sie Nadel und Zwirn mit, und

wir fädelten Ketten aus den gelben Knöpfchen auf, die in großen Dolden überall um den Schafstall blühten. Rainfarn heißt die Pflanze. Ida meinte, sie habe noch keinen Jungen gesehen, der so geschickt mit der Nadel sei wie ich. Wenn ich ihr doch Metas seidenen Unterrock hätte zeigen können! (Am nächsten Morgen schenkte ich die Ketten meinem Liebling, einem jungen Widder mit weißem Maul, der die gelben Knöpfchen säuberlich vom Faden knabberte.)

Ida brachte abends auch manchmal ihr Gesangbuch mit, aus dem sie Lieder für den Kindergottesdienst lernen mußte. Im Augenblick lernte sie das Lied „Geh aus, mein Herz, und suche Freud'", in dem der Sommer beschrieben wird, die Pflanzen und die Tiere. Wir hörten sie ab und fanden alles schön und richtig, die Gartenblumen, die Lerche, das Täublein, die Glucke, das leichte Reh, die Bächlein – bis auf die Stelle über die Schafe.

Da heißt es:

„Die Wiesen liegen hart dabei
und klingen ganz vom Lustgeschrei
der Schaf' und ihrer Hirten."

Ida mußte immer lachen, wenn sie zu der Stelle kam, und konnte sie kaum verständlich über die Lippen bringen. Es paßte auch gar zu schlecht auf die Schnucken und Ohm Thies. Die Schnucken blökten ganz selten, sie hatten meist mit Rennen und Knabbern zu tun. Und vor Lust schrien sie schon gar nicht, höchstens vor Angst, wenn Blücher kam oder wenn sich Mutter und Kind verloren hatten. Und Ohm Thies? Der schrie überhaupt nie, meist brummelte er etwas zu den Hunden, die machten dann schon, was er wollte.

Ohm Thies hörte sich unsere Unterhaltung über die komische Strophe an und schlug vor, wir sollten selber eine dichten, die auch wirklich paßte. Ida könnte sie dann ja im Kindergottesdienst aufsagen und sehen, ob der Pastor etwas merkte.

„Das trau' ich mich nicht", sagte Ida.

Aber dichten wollten wir, und zwar jeder eine eigene Strophe. Wir wollten auch in den Kindergottesdienst und hören, wie Ida das Lied vortrug.

„Wann ist Sonntag?" fragte ich.

„Max, weißt du das nicht? Sonntag nacht seid ihr angekommen. Noch drei Tage."

Ich sah Dorchen an. Was dachte sie jetzt? Wollten wir nicht den Zirkus einholen?

Als ich sie später fragte, antwortete sie leichthin: „Ach was, der ist noch lange in der Gegend. Den erreichen wir immer noch, auch wenn wir eine ganze Woche hierbleiben."

Dorchen gefiel es nämlich bei Ohm Thies und den Schnucken. Den ganzen Tag die große, weite Gegend durchstreifen, unter einem Himmel, in dem das Licht zitterte und flimmerte und mit dem Trillern unsichtbarer Lerchen gemischt war. So feurig hatten wir noch keine Sonne untergehen sehen, so schwarz noch keine Gestalten gegen den Abendhimmel wie die Wacholder am Weg.

Dann die Schnucken. Man konnte ihnen stundenlang zusehen und sich keinen Augenblick langweilen. Wie sie auf ihren Beinchen stelzten und trippelten und plötzlich vor Schreck sprangen, eins über das andere weg. Die einzelnen Trüppchen liefen ständig voreinander davon, die Herde sah immer aus, als ob sie einer mit einem großen Löffel durcheinanderrührte. Wenn sie eine ruhige halbe Minute hatten, bissen sie zierlich an den Kräutern herum, Blättchen um Blättchen eines Birkenbusches, Zweiglein um Zweiglein vom Heidekraut. Zwischen all den ängstlichen Wesen schoben groß und dick Blücher und Wrangel ihre ungeheuerlichen Köpfe einher und stifteten Unfrieden. (Übrigens: Auf den vielen Bildern, die ich in diesen Tagen in mein Zeichenbuch malte, kamen Blücher und Wrangel am häufigsten vor.)

Dann die Hunde. Rex war der Haupthund, Ohm Thiesens rechte Hand. Er war schwarz mit hellbrauner Brust, ernst und klug. Er übernahm die schwereren Aufgaben; ohne ihn wäre Ohm Thies mit der Herde gar nicht zu Rande gekommen. Prinz war der Gehilfe, er hatte seine Ausbildung noch nicht abgeschlossen. Ein Ohr stand ihm hoch, eins schlappte, alles an ihm war lustig und unregelmäßig, das Schwarze, das Weiße, die Locken, das Benehmen. Ohm Thies schüttelte öfter den Kopf und sagte zu ihm: „Wenn du dein Leben lang so verrückt bleibst, bringst du 's nie zum Haupthund."

Ohm Thies sagte immer wieder in der ruhigsten Weise die merkwürdigsten Sachen.

„Da haben sie sich wieder in den Hörnern, die beiden Preußenbiester", sagte er, als Blücher und Wrangel einmal gegeneinanderrannten.

„Was für Biester?" fragte Theo.

„Preußenbiester, Preußengeneräle."

„Ach so", sagte Theo. „Blücher, der Napoleon geschlagen hat."

Ohm Thies betrachtete Theo erstaunt. „Was weißt du denn von Napoleon, hast du das etwa beim Zirkus gelernt?"

„Natürlich", sagte Theo. „Wir haben jeden Morgen Unterricht. Deutsch bei Rosabella, Geographie bei Vater Rabe – und Englisch und Italienisch können wir auch."

„Und Abruzzisch!" spottete Ohm Thies.

„Rex", sagte Theo, „das ist lateinisch. Das heißt ‚König'."

„Donnerschlag", staunte Ohm Thies. „Weißt du das auch?"

„Soll das etwa der Preußenkönig sein, der den Generälen befiehlt?" fragte Theo.

„Von wegen!" sagte Ohm Thies empört. „Das ist

höchstens Georg, unser König von Hannover. – Los, Rex, zeig's den Preußen!"

Rex sprang zwischen die Schnucken und jagte die Böcke auseinander.

Am selben Nachmittag, als Ohm Thies in seiner Tasche etwas suchte, fiel ein kleines, ledergebundenes Buch heraus. Ich hob es auf und besah es mir. Es war ein feines, hübsches Buch mit dünnen Seiten. Ich glaubte, es sei vielleicht ein Gesangbuch, und schlug es auf. Es enthielt ein endlos langes, fortlaufendes Gedicht in einer fremden Schrift. Ohm Thies sah mir zu, während ich die Schrift betrachtete. „Es ist ja Griechisch", sagte ich dann. In dieser Schrift war nämlich Krischan Krögers Buch gedruckt, aus dem er Griechisch lernte. Manchmal las er daraus vor. Es klang schön.

„Donnerschlag", sagte Ohm Thies wieder. „Nu können die Zirkuskinder auch noch Griechisch. Düwel ook."

Theo erklärte schnell, wir hätten mal jemand gekannt, der hätte so ein Buch gehabt – und so fort.

Ohm Thies hörte gar nicht zu. Er hatte begonnen, in dem Buch zu blättern, und dann fing er zu unserer großen Verwunderung an, uns daraus vorzulesen, ganz geläufig und fließend, so als läse er aus dem Struwwelpeter. Ich fand, er las viel besser als Krischan.

„Das", sagte er, als er fertig war, „ist nämlich die Geschichte, wie Odysseus bei dem einäugigen Riesen gefangen sitzt. Der Riese hat eine Schafherde. Die wird da ganz prächtig beschrieben. Ich hab' die Geschichte schon so oft gelesen, ich kann sie fast auswendig."

„Auf griechisch?" fragte Theo ehrfürchtig.

„Ja, wie sonst?"

So war Ohm Thies. Man mußte immer wieder über ihn staunen.

Wenn man alles zusammenrechnete: die Sonne über der Heide, die Schnucken, die Hunde, Ohm Thies, Ida mit dem Fahrrad und schließlich das wunderbare Essen, das es jeden Abend gab – es war schon zu verstehen, daß Dorchen sich nicht danach drängte, wieder wegzulaufen.

Am nächsten Abend, nachdem wir Grützwurst mit Kartoffelbrei und Buttermilch gegessen hatten, gab jedes von uns Kindern seine Strophe zum besten. Dabei saßen wir alle vier auf einem Stapel eichener Zaunlatten, die neben der Hütte aufgeschichtet lagen.

Ida begann.

> „Die Schnucken auf der Heide sind,
> das weiß bei uns ein jedes Kind,
> und ich will noch verraten:
> Die Böcke sind oft bös und wild,
> die Schnuckenwolle warm und mild,
> und geben guten Braten.“

„Bravo“, sagte Ohm Thies. „So stimmt es.“

„*Kratzig*“, wandte Dorchen ein, „nicht *mild* ist die Schnuckenwolle. Meine Decke kratzt bis durch das Nachthemd.“

„Aber ‚kratzig‘ reimt sich nicht auf ‚wild‘“, sagte ich. Dorchen mußte zugeben, daß sich in Gedichten der Inhalt manchmal nach dem Reim zu richten hat.

Nun war ich an der Reihe.

> „Die Schnucken laufen ziemlich schnell,
> sie haben langes, graues Fell
> und fressen grüne Blätter.
> Zwei Hunde rennen hin und her,
> die Schnucken fürchten sich gar sehr
> und werden täglich fetter.“

Ohm Thies beglückwünschte mich zu der schönen Strophe.

Dorchen hatte wieder etwas auszusetzen. „Wenn man

146

sich fürchtet, wird man nicht täglich fetter", behauptete sie. Aber sie konnte es nicht beweisen.

„Nun du, Theo", forderte Ida. Wir waren alle gespannt.

Dies war Theos Strophe:

> „Wenn Berge in der Heide wär'n,
> die Schnucken würden gar zu gern
> bis auf die Spitzen klettern,
> sie würden schrei'n und blöken sehr
> und jeden, der da käme her,
> mit ihren Hörnern schmettern."

Ida machte ein Gesicht, als ob sie Zweifel hätte; ich staunte wie gewöhnlich über Dorchens kühne Einfälle.

Ohm Thies sagte: „Das ist gar nicht so dumm. Mindestens ganz früher haben sich die Vorfahren der Schnucken sicher so ähnlich benommen. Und wenn man sie heute in ein Gebirge brächte, würden sie sich womöglich wieder so benehmen."

„Also sind sie bloß so ängstlich und so artig, weil sie nicht auf die Berge können?"

„Tiere sind klug", sagte der alte Heidjer. „Sie benehmen sich so, wie es für sie selbst am besten ist."

„Aber meinst du nicht, Ohm Thies", fragte Theo, „daß sie sich immer nach den hohen Bergen sehnen, wo sie vielleicht eigentlich hingehören?"

Ohm Thies sah in die Heide hinaus, über die sich der Abend gebreitet hatte. Ein glühender Streifen lag noch immer über dem Horizont, dort, wo die Sonne untergegangen war. Von der braunen Landschaft ging ein dunkles, fast unheimliches Leuchten aus.

„Ich glaube nicht", sagte er mehr zu sich selber, „daß sie hier nicht glücklich sind, die Schnucken, denn das ist doch ihr eigenes Land – Schnuckenland."

6. Kapitel

Am Sonnabend schien wieder die Sonne wie jeden Tag seit unserer Ankunft. Nach dem Gewitter, das sich in der Nacht unserer Flucht entladen hatte und von dem wir nur das Wetterleuchten erlebt hatten, war es zuerst kühl und frisch gewesen, aber dann hatte sich die Luft täglich mehr erwärmt, bis es sich schon fast so anfühlte, als bereite sich ein neues Gewitter vor.

„Heute gehen wir in eine Gegend, wo es viele Wacholder gibt", sagte Ohm Thies, als wir auszogen. „Da finden die Tiere mittags ein bißchen Schatten."

Dann sah er nach, ob wir auch unsere Stiefel trugen. Am zweiten Tag hatte Theo barfuß laufen wollen, aber Ohm Thies hatte es nicht erlaubt.

„Es gibt Schlangen in der Heide", sagte er, „Kreuzottern. Wenn die einen beißen, kann man davon sterben."

Er achtete auch immer darauf, daß wir uns nicht an Stellen hinsetzten, wo sich Schlangen gern aufhalten. Wir hatten noch keine Kreuzotter gesehen in all den Tagen, und Theo stöhnte über seine heißen Stiefel.

Zuerst ging es durch ein Tal, in dem sich kein Lüftchen rührte. Mir taten die Schnucken in ihren Mänteln leid. Einige waren besser dran, sie waren kürzlich geschoren worden und hatten ein Fell wie Plüsch. Dann kletterte die ganze Herde aus dem Tal heraus, einen ziemlich steilen Hang hoch. Da gab es kleine Wege wie Treppen, auf denen auch wir bequem in die Höhe kamen. Die Schnucken hatten sich diese Pfade getreten. Theo zeigte mir, wie leicht und geschickt die Tiere emporsprangen. „Wie Bergziegen", sagte er.

Oben war es genauso heiß, aber luftig. Wir aßen mit Ohm Thies unser Mittagsmahl unter ein paar verkrüppelten Kiefern und schauten zu, wie die Herde sich um die

Wacholder verteilte; zuerst weideten sie noch, dann legten sich mehr und mehr Tiere zur Ruhe und sahen aus wie graue Steine.

Ohm Thies saß mit dem Rücken gegen einen Kiefernstamm gelehnt und machte ein Nickerchen. Rex und Prinz lagerten ein Stück weiter im Schatten und dösten. Es gab im Augenblick nichts zu bewachen und zu hüten.

Wir zwei hatten auch ein schattiges Plätzchen auf trokkenen Kiefernnadeln, die in der Hitze knisterten und dufteten. Theo fing an, sich die lästigen Stiefel aufzuschnüren.

„Aber nicht ausziehen", mahnte ich. „Denk an die Schlangen!"

Auch wir blinzelten träge in die schläfrige Landschaft.

Aber alles schlief doch nicht. Blücher, der graue Schnuckenbock, stand in einiger Entfernung und blickte aufmerksam zu uns herüber. Oder richtiger: zu Ohm Thies. Der machte ein Nickerchen im wahrsten Sinne des Wortes. Sein weißhaariger Kopf, der an dem Stamm der Kiefer ruhte, fiel alle paar Augenblicke nach vorn, dann lehnte er sich wieder zurück. Dazu schnarchte Ohm Thies ein bißchen.

Blücher sah doch zu merkwürdig aus. Er war ein Stück näher gekommen und starrte unverwandt auf Ohm Thies.

„Sieh bloß!" sagte Theo. „Was macht er denn?"

Der Bock machte ein wütendes Gesicht. Wenn einer denkt, Schafe könnten keine Gesichter machen, dann irrt er sich. Blücher hielt den Kopf mit den furchtbaren Hörnern vorgestreckt und bleckte die Zähne. Er stülpte seine Lippen zurück, so daß die beiden gelben Zahnreihen bloßlagen, wie sonst nie. Er sah so boshaft und giftig aus wie der Teufel.

„Dorchen!" schrie ich – ohne mich zu bedenken.

Blücher stürmte los, die Stirn gesenkt, zum Angriff. Er rannte auf Ohm Thies zu, dessen Kopf gerade wieder her-

abgesunken war – ich hielt mir die Augen zu und schrie und schrie. Was hätte ich auch sonst tun sollen?

Als ich die Augen wieder aufmachte, sah ich Dorchen, wie sie mit ausgestreckten Armen neben dem rennenden Bock ankam und ihn mit dem Schwung und dem ganzen Gewicht ihres Körpers in die Seite stieß. Sie warf ihn um, aber im nächsten Moment stand er wieder auf seinen Beinen und wendete sich Dorchen zu, die auf dem Boden lag, um sie anzugreifen und aufzuspießen. Ohm Thies kam eben auf die Füße, aber schon waren die beiden Hunde zur Stelle, kniffen Blücher von hinten in die Beine, lenkten ihn von Dorchen ab und jagten ihn, ohne sich den fürchterlichen Hörnern auszusetzen, in die Flucht.

„Donnerschlag", brachte Ohm Thies hervor. „Düwel ook, was stellt ihr zwei Lausejungen denn an, wenn ich mal eine Sekunde die Augen zumache!"

Ich weinte vor Angst und Aufregung und befühlte und umklammerte Dorchen; gottlob war ihr nichts geschehen. Dann sagte ich zu Ohm Thies, der immer noch nichts begriffen hatte:

„Mein Theo – mein Bruder hat dich gerettet, Ohm Thies, sonst hätte Blücher dich umgebracht."

Wir beschrieben ihm nun alles, wie er dagesessen und genickt hatte im Schlaf, was für eine Grimasse Blücher gezogen und wie er plötzlich losgestürmt war.

„Und dann?" fragte Ohm Thies, und man sah ihm den Schrecken an, „wieso hat er mich dann doch nicht aufgespießt?"

„Theo", sagte ich. „Theo hat ihn umgestoßen, und da wollte er auf Theo los."

„Theo, mein Junge", sagte Ohm Thies, „du hast mir ja wohl das Leben gerettet. Und es war hochgefährlich für dich. Wenn ein solcher Bock so ein Gesicht macht, dann ist es kein Spaß mehr. – Ich kann nur dem lieben Gott danken, daß er mir zwei solche Zirkuskinder geschickt hat, sonst wäre ich jetzt nicht mehr am Leben."

„*Ich* habe ja nicht mitgeholfen, ich habe ja nur geschrien", sagte ich kleinlaut.

„Damit hast du die Hunde aufgeweckt, gerade zur rechten Zeit."

Langsam faßten wir uns alle drei wieder.

„Was machst du nun mit Blücher?" fragte Theo. „Muß er nun geschlachtet werden?"

Ohm Thies blickte zu den Schnucken hinüber, wo Blücher eben, als ob nichts geschehen wäre, einen jüngeren Widder anrempelte.

„Ein anderer Schäfer würde ihn vielleicht zum Schlachter geben", sagte er. „Es wäre wohl auch vernünftig. Denn fast hätte er einen von uns beiden umgebracht. Aber – eigentlich war es ja meine Schuld."

„Wieso? Weil du geschlafen hast?"

„Weil ich genickt habe. Immer so den Kopf gesenkt und wieder gehoben, wie die Böcke es tun, wenn sie sich zum Angriff bereitmachen. Das hat er gesehen und gedacht, ich forderte ihn zum Kampf heraus. Da *mußte* er einfach gegen mich losrennen, weil er doch der stärkste Bock in der Herde ist – und dafür soll ich ihn nun schlachten lassen?"

Plötzlich fing Ohm Thies an zu lachen.

„Er hat wohl gemeint, ich wäre der Napoleon, da wollte er mir's zeigen, der alte Blücher."

Sonntags gingen wir mit Ohm Thies zur Kirche in dem Dorf, in dem er wohnte. Und hinterher blieben wir noch zum Kindergottesdienst, saßen zwischen den Heidejungen und warteten darauf, ob Ida drüben auf der Mädchenseite die Strophe von den Schnucken aufsagen würde. Natürlich traute sie sich nicht. Dorchen hätte sich vielleicht getraut, aber hier wurden wir von allen angestarrt; erstens, weil wir das Vierländer Sonntagszeug trugen, das sich von den Kleidern der Heidekinder unterschied, und zweitens, weil Ida erzählt hatte, wir seien die Clownskinder aus dem Zirkus. Und obendrein ging es in diesem Kindergottesdienst unerhört gesittet und andächtig zu, so wie wir das aus Hamburg gar nicht kannten.

Nach der Kirche nahm Ida uns mit zu ihrem Elternhaus. Es war ein stattliches Bauernhaus. Es trug auch einen frommen Spruch wie die Häuser in Kirchwerder, und zwar über dem runden Scheunentor. Aber an der Giebelspitze saßen gekreuzte Pferdeköpfe aus Holz.

Der Tisch war schön weiß gescheuert, und um ihn versammelte sich die Familie mit Magd und Knecht, die den Bauern und die Bäuerin „Vater" und „Mutter" nannten. Idas Großmutter, Ohm Thies, Idas Eltern, Ida mit zwei jüngeren Schwestern und einem Bruder, der Knecht, die Magd und wir beide – es war eine große Versammlung um den Tisch.

Nach einem langen Gebet, das Idas Vater sprach, ging es an das Sonntagsessen: Schnuckenbraten, Buchweizen-

klöße, grüne Erbsen und Wirsing, hinterher frische Blaubeeren mit Milch. (Ich erfuhr erst später, was das köst-
liche Fleisch gewesen war, sonst hätte es mir vielleicht
nicht so gut geschmeckt mit dem Bild der munteren
Schnucken vor Augen.)

Idas Eltern waren ernste, stille Leute, die beim Essen
wenig sprachen; Ohm Thies erzählte ein bißchen von den
Schnucken, Idas Vater vom Buchweizen, Idas Mutter
kümmerte sich darum, daß jeder zu essen bekam, was
ihm zustand, die Großmutter rühmte das schöne warme
Wetter, der Knecht und die Magd sagten manchmal einen
Satz dazu, und die Kinder redeten überhaupt nicht. Dabei
ging es nicht etwa steif oder beklommen zu, im Gegenteil,
alle genossen das gute Essen, die Sonntagsruhe und
machten einen zufriedenen Eindruck. Als die Teller und
Schüsseln weggestellt worden waren, erzählte Ohm
Thies, wie ihn Theo davor bewahrt hatte, von Blücher an-
gegriffen zu werden; da staunten alle in ihrer ruhigen,
ernsthaften Art.

Später gingen wir mit Ida und ihren Geschwistern in
den Hof; wir krochen überall herum, auf dem eichenen
Treppenspeicher, auf dem Heuboden, wir besahen die
Pferde, die Schweine, die Hühner, den Garten, wir
pflückten uns Beeren, Dorchen kletterte mit Idas Bruder
in den Kirschbaum, und es war so unterhaltsam, wie es
nur auf einem Bauernhof sein kann.

Nachdem wir noch Kaffee, Kuchen und Honigbrot bekommen hatten, machten wir drei uns wieder auf den
Heimweg zu unserm Schafstall. Zu Fuß brauchte man
doch fast zwei Stunden.

Eben brachte Idas älterer Bruder, der Ohm Thies für
den Sonntag abgelöst hatte, mit Rex und Prinz die Herde
in den Stall. Er schimpfte auf Blücher und Wrangel,
meinte, einer von den beiden solle ruhig zum Schlachter,
damit man nicht soviel Aufregung und Ärger mit der
Herde habe. Dann fuhr er auf dem Fahrrad heim.

Ohm Thies schüttelte den Kopf. Wir setzten uns noch ein bißchen auf den Bretterstapel vor die Hütte und redeten.

„Der Jan, Idas Bruder, ist ein tüchtiger Junge", sagte Ohm Thies. „Wird mal ein ordentlicher Bauer. Aber bei den Schnucken möchte ich ihn nicht haben. Für die Schnucken taugt er nicht."

„Er ist nicht so lustig wie du, Ohm Thies", sagte Theo.

„Er kann die Schnucken, glaube ich, nicht so besonders leiden", sagte ich.

Ohm Thies nickte. „Stimmt. Beides. Das braucht man nicht beim Buchweizen und nicht bei den Schweinen. Aber bei den Schnucken braucht man es. Die Schnucken sind ein Volk. Sie leben miteinander fast wie die Menschen. Manche sind groß und mächtig, manche ängstlich und zahm. Alle haben ein Recht darauf, so zu sein, wie sie sein müssen. Der Schnuckenschäfer muß nur zusehen, daß es allen so gut wie möglich geht. Er und die Hunde."

„Die Hunde wissen das auch?"

„Klar. Habt ihr gesehen, wie sie mit den bösen Böcken umgehen? Sie kneifen sie bloß ein bißchen. Sie würden ihnen nie etwas zuleide tun."

„Wer wird die Schnucken hüten, wenn du zu alt bist, Ohm Thies?"

Ohm Thies sah uns lange und ernsthaft an mit seinen blauen Augen. „Ja, wer?" wiederholte er nur.

Als wir auf unserm Strohbett lagen, erinnerten wir uns, daß wir vor einer Woche angekommen waren, in gewittriger Finsternis.

„Wie lange wollen wir noch bleiben, Dorchen?" fragte ich.

„Ach. Weiß nicht. Noch eine Weile. Es ist schön hier. Vielleicht bis die Heide blüht."

„Wann ist das?"

„In ein paar Wochen, glaube ich."

„Und wollen wir nicht mehr zum Zirkus zurück?"

„Ach, der ist dann längst über alle Berge."

„Und wann gehen wir wieder nach Hause?"

„Ach, später einmal. Jetzt noch nicht. Es ist doch zu schön hier mit den Schnucken."

In dieser Nacht beschloß ich, Ohm Thies, was immer Dorchen davon halten sollte, bei der nächsten guten Gelegenheit zu erzählen, wer wir waren.

Zunächst vergingen noch ein paar Tage. Die Sonne schien immer noch, herrliche, heiße Julisonne, aber es war nicht mehr schwül. Wir waren beide dunkelbraun gebrannt; wenn wir abends an dem kleinen Teich, zu dem die Herde immer zur Tränke geführt wurde, unsere Stiefel auszogen, um ins Wasser zu waten, lachten wir über unsere weißen Füße an den schwarzbraunen Beinen. Unsere Haare waren von der Sonne gebleicht und struppig nachgewachsen. Ich glaube, nicht einmal Krischan hätte uns so wiedererkannt.

Einen Tag nach unserm Besuch im Dorf hatten wir mit Ohm Thies eine lange Unterhaltung nach dem Mittagessen. Wir saßen am Rande eines Kiefernwäldchens; ein Teil der Herde weidete, ein Teil lagerte im Schatten unter den Bäumen. Beim Auspacken des Mittagbrotes hatte Ohm Thies sein kleines Buch einen Augenblick in die Hand genommen.

„Ihr könnt ja kein Griechisch", sagte er bedauernd. „Sonst würde ich euch ein bißchen vorlesen. Von Odysseus."

„Und woher kannst du Griechisch?"

„Von der Schule."

„Lernt Ida auch Griechisch in der Schule?"

Ohm Thies lachte. „Nein, hier im Dorf lernt man kein Griechisch. Ich bin in Celle zur Schule gegangen. Aufs Gymnasium."

„Da hast du dort wohnen müssen? Wo hast du gewohnt?"

„Bei einem Schneider. Da hatte ich eine Kammer und kriegte zu essen. Am Sonntag bin ich manchmal heimgefahren."

Aber wie kam es überhaupt, daß ein Heidejunge aufs Gymnasium in der Stadt gehen mußte?

„Das war so", erzählte Ohm Thies. „Ich war der zweite Sohn. Der erste Sohn übernimmt den Hof, der zweite studiert, und der dritte heiratet auf einen anderen Hof."

„Und du hast studiert?"

„Ich sollte. Zunächst ging ich aufs Gymnasium und lernte Latein und Griechisch. Das waren die Hauptfächer. Wir lernten so viel Latein, daß wir lateinische Reden halten konnten. Und sieben Jahre Griechisch."

„Wie Krischan", sagte ich vor mich hin. Dorchen stieß mich an.

„In den Ferien war ich natürlich immer zu Hause und half auf dem Hof. Der Großvater hatte damals die Schnucken. Ich bin am liebsten mit dem Großvater gegangen."

„War da auch so ein wilder Bock?" erkundigte sich Dorchen.

„O ja. Ein schwarzer. Samson hieß er. Ich glaube, er war so schlimm wie Blücher und Wrangel zusammen. Er war Großvaters Liebling."

„Da warst du so mit dem Großvater wie wir jetzt mit dir? Auch hier auf dieser Heide?"

„Klar. Überall, wo wir miteinander gewesen sind, war ich schon vor mehr als fünfzig Jahren mit dem Großvater. Es sah genauso aus wie heute. Bloß Fahrräder hatten die Leute noch nicht. – Der Großvater fragte mich immer aus nach dem Leben in der Stadt und nach der Schule – sonst fragte mich keiner zu Hause. Sie redeten alle nur das Nötigste."

„Wie gestern beim Mittagessen", bemerkte Theo.

Ohm Thies lachte belustigt. „Genauso. Wir Heidjer

156

reden nicht viel. In der Schule war das natürlich anders, da kam ich in ein lustiges Leben hinein, und das wollte der Großvater alles wissen. Auch was in meinen Büchern stand, mußte ich ihm erzählen. Da staunte er manchmal nicht schlecht."

„Und sagte: ‚Düwel ook' ", flocht der freche Theo ein.

Ohm Thies lachte wieder. „Klar, du Lausejunge. Und am liebsten hörte er, was Odysseus alles erlebt hatte auf seinen Reisen. Das mußte ich ihm erzählen. Dann redeten wir von dem Leben, das diese uralten Griechen geführt hatten – wie die Königstochter ans Meer Wäsche waschen ging und wie der Riese seine Schafe hielt und daß mitten in Odysseus' Schlafzimmer ein großer Olivenbaum wuchs, an dem er sein Bett festgemacht hatte – das gefiel dem Großvater alles so gut. Mir auch."

„Und was wolltest du studieren?"

„Pastor natürlich. Ich sollte ja Pastor werden. Deshalb ging ich in den Ferien auch immer zu unserm Pastor hin, und der erklärte mir alles, wie ich studieren müßte und wie es dann sein würde, wenn ich Pastor wäre."

Wir überlegten einen Augenblick, wie es ist, wenn man Pastor ist. Großvater Neander trat uns vor die Augen in seinem schwarzen Rock.

„Unser Pastor zeigte mir oft Stellen aus der Bibel, wo beschrieben wird, wie ein Pastor sein soll", fuhr Ohm Thies fort, und er lachte wieder ein wenig in seinem Bart. „Meist handelten die Stellen vom guten Hirten und den Schafen. Und so viel Latein konnte ich ja nun längst, daß ich wußte, Pastor heißt Hirte. Es war auch ein Bild in der Studierstube, darauf war unser Herr Jesus zu sehen, wie er als Hirte ein verirrtes Schaf aus den Felsen rettet."

Ohm Thies machte eine Pause und kratzte sich am Hinterkopf.

„Und nun kommt das Verrückteste", sagte er. „Jedesmal, wenn ich das Bild sah und die schönen Bibelsprüche hörte, kam mir Großvaters Schnuckenherde in

den Sinn. Ich konnte und konnte mir nichts anderes vorstellen, als daß ich *so* eine Herde hüten würde als Pastor.
Natürlich verriet ich das keinem, ich dachte, es würde
vielleicht mit der Zeit vergehen. "

„Aber es verging nicht", sagte ich.

„Nein, Max. Es wurde immer schlimmer. Ich konnte
kaum noch die Ferien abwarten, bis ich wieder in die
Heide zum Großvater und den Schnucken durfte. Dann
machte ich mein Abitur, und im selben Jahr starb der
Großvater. Auf der Heide bei den Schafen. Sie fanden ihn
am nächsten Tag; die Hunde hatten die Herde am Abend
allein nach Hause gebracht. Der Großvater lag unter
einem Wacholder und schlief. Aber für immer . . ."

„Und wer hütete die Schnucken nun?" fragte Theo.

„Ohm Thies", sagte ich.

„Ja, Max, das stimmt. Zuerst sozusagen zur Aushilfe.
Aber dann – kurze Zeit später – habe ich meinem Vater
gesagt, ich wollte lieber nicht studieren, sondern *diese* Art
von Hirt werden. Er merkte, daß es mir ernst war, und so
blieb es dabei. "

„Aber das wäre doch alles viel leichter und besser gegangen, wenn du nicht so viele Jahre in Celle hättest zur
Schule gehen müssen", rief Theo nun. „Die ganze Zeit
hast du dich nach der Heide und den Schnucken gesehnt
und konntest immer bloß ein paar Tage in den Ferien
hinaus. Tut dir denn das nicht leid?"

Ohm Thies schüttelte den Kopf. „Denk mal, Theo",
sagte er, „was ich da alles Schönes erfahren habe in der
Schule. Das hätte ich hier auf dem Dorf und in der Heide
ja nie kennengelernt. Von Odysseus zum Beispiel. Und
noch viel mehr, was mir noch heute im Kopf herumgeht,
wenn ich so in die Gegend gucke. Der Großvater war ja
auch ganz scharf darauf, von mir so etwas zu hören. Darüber machte er sich dann Gedanken, und wenn ich wie-
derkam, erzählte er mir, was ihm eingefallen war. "

„Aber wenn man etwas ganz wild und mit aller Kraft

werden möchte, so wie du Pastor – ich meine Hirte –", sagte meine Schwester Dorchen, und ihre blauen Augen funkelten hell aus dem braunen Gesicht, „– dann kann man doch nicht endlose Jahre warten und lauern, bis es endlich kommt. Dann muß es doch *gleich* losgehen!"

„Es kommt schon, wenn man es wirklich will", sagte Ohm Thies bedächtig. „Es kommt sogar bestimmt. So wie sich meine Schnucken hier immer in die Bibelsprüche gedrängelt haben mit ihren Hörnerköpfen."

An diesem Abend hatte Ida uns grüne Bohnen mit Rauchfleisch gebracht und einen großen Topf Heidehonig nur für uns beide.

„Den schickt die Oma, weil ihr Ohm Thies gerettet habt", sagte sie, „und der Vater und die Mutter lassen schön grüßen. Sie würden euch gern auf dem Hof behalten."

Wir staunten. Wir wußten gar nicht, was wir sagen sollten.

„Kommt doch, ich würde mich so doll freuen", setzte sie hinzu. „Ihr seid so lustig, mit euch mag ich gern sein."

Ich dachte an Idas schweigsame Geschwister. Mein wildes Dorchen hätte sicher etwas Schwung in die stille Familie gebracht.

Ohm Thies fragte: „Nun, wie ist es. Wollt ihr? Wenn es euch etwa Spaß macht, könntet ihr so nach und nach die Schnucken übernehmen. *Euch* würde ich sie gerne hinterlassen, wenn ich einmal einschlafe – unter einem Wacholder."

Ida und Ohm Thies sahen aber, wie sehr uns die Einladung überraschte, und redeten vorerst nicht mehr davon.

„Morgen sagen wir Ohm Thies, wer wir sind", erklärte ich, kaum daß wir in unserer Stallecke lagen.

„Untersteh dich", fuhr Dorchen mich an. „Dann wäre ja plötzlich alles aus. Wir müßten augenblicklich zurück nach Hamburg, und alle wären böse auf uns."

„Aber wir können doch nicht so tun, als wollten wir

159

bei Idas Eltern wohnen. Ida freut sich schon, und Ohm Thies denkt, wir übernehmen später mal die Herde."

Dorchen schnupperte die Luft in unserm Stall und lauschte zu den Schnucken hinüber. Selbst im Schlaf waren sie unruhig und raschelten in ständiger Bewegung.

„Ich will noch hierbleiben", sagte sie leise. „Ach, Gretchen, laß uns noch eine Weile hierbleiben. Bis die Heide blüht – dann sehen wir schon, wie es wird – und vielleicht . . ."

Dann kam der schönste Morgen unserer Zeit bei den Heidschnucken. Der Himmel war noch blauer, die Luft noch leichter, das Sonnenlicht noch silbriger als sonst. Wir wanderten einen sandigen Weg an einem Birkenwald entlang, der voll von zwitschernden Vögeln war. In einem anderen Waldstück fanden wir Blaubeeren. Ohm Thies zog mit der Herde weiter und sagte uns, wo wir ihn finden würden, wenn wir genug gepflückt hätten. Wir aßen und aßen. Groß und süß waren die Beeren, niemand hatte die Sträucher vor uns berührt. Wir hatten noch nie so herrliche Beeren gegessen.

Eine Stunde vergeht leicht beim Pflücken. Immer neue Büsche entdeckten wir, die dick und blau voll Beeren saßen, und satt wird man nie davon. Schließlich stand die Sonne so hoch, daß wir wußten, Ohm Thies hielt jetzt sein Mittag und wartete auf uns – da drüben, sagte Dorchen, hinter diesem Hügel, da hatte er hin wollen.

„Wir schneiden ab und gehen quer über die Heide", schlug Dorchen vor.

Wir liefen und liefen, es ging bergab und bergauf, und der Hügel, hinter dem Ohm Thies mit der Herde sein sollte, schien sich vor uns zurückzuziehen.

„Ich kann nicht mehr", japste Dorchen nach einer längeren Zeit des Rennens und Wanderns. Die Sonne schien uns brennend auf die Köpfe, und wir mußten ein bißchen unter ein paar Büschen sitzen, auch einige große Steine lagen herum. Eine kleine, grasige Bodensenke war da und sogar eine feuchte Stelle, wo Vergißmeinnicht wuchsen.

Dorchen setzte sich neben einen Stein auf den Boden und stützte die Hand ins Gras. Im nächsten Augenblick fuhr sie schreiend in die Höhe und rannte, die Hand schüttelnd, eine ganze Strecke von mir weg.

„Was hast du?" rief ich erschreckt. „Hat dich eine Wespe gestochen?"

„Eine Schlange, eine Schlange hat mich gebissen, hier in die Hand!"

Ich konnte es sehen. Im Handballen waren zwei rote Pünktchen.

„Es brennt, es tut weh, und ich habe so große Angst", jammerte Dorchen.

Ich nahm all meinen Mut und all meine Vernunft zusammen. Jetzt kam es auf mich an, auf mich ganz allein.

„Du bleibst hier und rührst dich nicht vom Fleck", sagte ich laut und streng zu Dorchen. „Wenn es eine Kreuzotter war, darfst du nicht herumrennen mit dem Gift in der Hand. Das hat Ohm Thies uns gesagt. Ich gehe und hole jemand. Ich werde schon jemand finden. Bleib hier!" rief ich noch einmal warnend, als ich schon lief. Dorchen blieb zurück. Sie weinte.

Ich rannte unter der brennenden Sonne, um mich her lag eine riesige, leere Heidefläche. Von Ohm Thies und der Herde war nichts zu sehen und zu hören. Nur die Lerchenlieder zitterten in der Luft. Da fing ich an zu rufen.

„Hilfe, Hilfe, Hilfe!" schrie ich. „Ohm Thies, Hilfe! Ohm Thies!"

Was für ein kleiner Ton in der großen Mittagsstille.

Ich drehte mich um. Ja, Dorchen stand noch da. Sie sah viel kleiner aus, so weit hatte ich sie schon hinter mir gelassen.

Wieder rief ich um Hilfe und lief noch ein Stück, obgleich es mir vorkam, als nützte all mein Schreien und Laufen nichts gegen die Stille und die Weite.

161

Aber nun sah ich Ohm Thies. Er kam mit großen Schritten über das Feld auf mich zu, er war noch weit entfernt. Ich blieb stehen, ganz außer Atem, und war so glücklich und erleichtert. Indem ich zusah, wie Ohm Thies immer größer wurde, ließ ich meine Augen schweifen und erblickte plötzlich noch eine Person, die sich von der anderen Seite näherte, ebenfalls in langen Schritten quer über die Heide, und die jetzt etwa die gleiche Größe hatte wie Ohm Thies. Nun sah ich immer von einem zum andern, wie sie so auf mich zuschritten.

Die andere Person war auch ein Mann, und ich wunderte mich über ihn, denn er paßte nicht in die Heide. Als er noch näher kam, erkannte ich auch, weshalb. Er trug einen grauen Stadtanzug, einen Strohhut und einen Spazierstock. Ohm Thies auf der anderen Seite kam in seinen verbeulten Hosen, seiner Leinenjoppe und der Schirmmütze einher.

Jetzt blickte ich wieder auf den herbeieilenden Stadtherrn, und es durchfuhr mich wie ein Blitzschlag, als ich erkannte, daß es unser Vater war. – – –

Gleichzeitig mit einer ungeheuren Freude kam mir die Befürchtung, jetzt werde sich alles verwickeln in Fragen und Erklärungen und Vorwürfen, so daß Dorchen und ihr Schlangenbiß zurückstehen müßten. Er hat mich noch gar nicht erkannt, dachte ich, so wie wir jetzt aussehen. Ich schlug einen Haken und rannte auf Ohm Thies zu, weg von meinem Vater. Atemlos sagte ich ihm, was geschehen war, und verkroch mich halb in seiner wehenden Jacke, als wir zu Dorchen hineilten und dabei auf den Vater stießen, der sich uns anschloß. Ohm Thies betrachtete ihn erstaunt, grüßte, aber sprach nichts weiter. Mein Vater sagte auch nichts, er pustete ein wenig vom schnellen Wandern in der Hitze.

Dorchen stand, wo ich sie verlassen hatte, hielt ihre Hand vor sich und schaute meinem Vater mit aufgerissenen Augen entgegen. Sie sah erbarmungswürdig aus, staubig, verheult, ihr braunes Gesicht verblichen. Als Ohm Thies bei ihr war, klammerte sie sich an ihn und stammelte: „Mach doch was, Ohm Thies, mach doch was!" Ich wußte, daß sie nicht nur den Schlangenbiß meinte.

Ohm Thies streichelte ihren struppigen Kopf, besah sich die böse geschwollene Hand und nickte.

„Es ist tatsächlich ein Biß", sagte er. „Aber wir kriegen es schon in Ordnung. Hab nur keine Angst, Theo."

Während Dorchen und ich uns halb hinter ihm versteckten, wendete er sich an meinen Vater, der, immer noch ohne ein Wort von sich zu geben, dabeistand.

„Ich brauche was zum Abbinden, aber ich habe nichts mit, die Jungen sicher auch nicht – haben *Sie* etwas?"

Als mein Vater anfing, in seinen Taschen zu suchen, zeigte Ohm Thies auf seinen taubenblauen Seidenschlips. „Das würde sich gut eignen."

Mein Vater zog sich den Schlips vom Hals, Ohm Thies hob einen flachen, talergroßen Stein auf und setzte Dorchen ins Gras – nicht ehe er den Boden abgesucht und mit einem Zweig daraufgeschlagen hatte. Er drückte den Stein auf Dorchens Oberarm, wand die Krawatte geschickt darum und machte einen Knoten, durch den er ein festes Stöckchen schob. Dann drehte er das Stöckchen ein paarmal herum und band es auch fest.

„Jetzt kann das Blut aus der Hand nicht in den Körper, Theo", sagte er. „Das ist erst einmal die Hauptsache."

Nun wandte er sich wieder an meinen schweigenden Vater, dem wir beide den Rücken zukehrten – womöglich hatte er uns *doch* nicht erkannt, sonst hätte er doch inzwischen etwas gesagt –, und fragte: „Haben Sie vielleicht ein scharfes Taschenmesser?"

Mein Vater suchte nervös, aber ganz unnötigerweise in den vielen Taschen seines pfeffer-und-salzfarbenen Anzugs und antwortete: „Ich fürchte, nein."

Dorchen und ich hätten Ohm Thies das auch sagen

können. Wir wußten, daß der Vater gar kein Taschenmesser besaß.

„Ich!" sagte Dorchen. „In meiner Tasche."

Ich zog es aus ihrer Hosentasche heraus, denn sie
konnte die Hand nicht bewegen.

„Das andere", sagte Dorchen jedoch.

Nun holte ich das kleine Messer hervor, das perlmutt-
gefaßte.

„Von der Großmama", bemerkte mein Vater.

Ohm Thies guckte verblüfft, aber wir wußten, woran
wir waren.

Ohm Thies betrachtete das Messerchen und seine
haarscharfe Klinge wohlgefällig. „Was hast du für ein
feines Messer, Theo, mein Jung. Das wird gar nicht weh
tun mit diesem Messer. Ich muß dich jetzt nämlich
schneiden, weißt du, da, wo der Biß sitzt, und das Gift
aussaugen, soviel ich noch erwische. Dann kriegst du's
nicht in den Leib. Aber ein bißchen wird es eben doch
weh tun, da mußt du tapfer sein, einen kleinen Augenblick bloß; und Max, der wird sich die Augen zuhalten
und schreien, das ist auch sehr nützlich, da laufen die andern Schlangen weg, und es tut uns allen gut."

Während dieser langen Rede hatte er Dorchens Hand
mit seiner Jacke abgewischt, die Klinge geprüft und
nahm nun Dorchen von hinten in den Arm. Mit der
Linken hielt er die verwundete Hand fest, mit der
Rechten drückte er das Messerchen zweimal geschickt in
ihren Ballen. Ich schrie nicht, ich hielt mir auch nicht die
Augen zu, aber ich stöhnte. Und hinter mir stöhnte mein
Vater. Dorchen aber rief kräftig: „Au!" – Dann war es
schon vorbei, Ohm Thies saugte das Blut, das aus dem
Ballen quoll, und spuckte es immer wieder auf den
Boden.

Zwischendurch sagte er über die Schulter zu meinem
Vater: „Sauberes Taschentuch?"

Mein Vater ächzte und lachte in einem und streckte

ihm gleich das Tuch hin, schneeweiß und schön gefaltet mit großem gesticktem Monogramm: *F.A.*

Ohm Thies legte Dorchen einen Verband an.

Nun kam mein Vater von hinten um uns herum, stellte sich vor uns und sagte: „Ich heiße Asmussen."

„Witt", sagte Ohm Thies. „Thies Witt ist mein Name."

„Ist dieser Junge in Lebensgefahr?"

„Ich denke, es wird noch einmal gutgehen", antwortete Ohm Thies. „Aber er müßte zu einem Doktor."

„Die beiden Kinder sind meine Töchter", sagte mein Vater nun.

Es dauerte ein gutes Weilchen, ehe Ohm Thies *und* Dorchen wie aus einem Munde hervorbrachten: „Düwel ook."

(Dorchen sagte es allerdings ganz leise, nur ich hatte es gehört. Ich sah auch, daß sie mit blassen Lippen ein winziges bißchen lachte.)

Nach einer weiteren Pause fragte Ohm Thies: „Sind Sie sicher?" und zu uns: „Hat er etwa recht?" Wir nickten. Keine von uns sah dem Vater ins Gesicht.

Nun betrachtete uns unser alter Freund. Er schüttelte den Kopf, kraulte sich im Bart und fing am Ende zu lachen an – sein halbblautes, vergnügtes Lachen, das ihm mehr aus seiner Kehle kam als aus seiner Brust.

„So habt ihr den alten Schäfer reingelegt, ihr Lausejungens, und wohl noch andere Leute mehr. Seid die ganze Zeit zwei kleine Deerns gewesen!"

Noch immer wurden zwischen dem Vater und uns keine Reden gewechselt. Die beiden Männer besprachen untereinander, was für Dorchen das beste sei. Ohm Thies meinte, wenn möglich sollte sie ins Krankenhaus in Lüneburg, und mein Vater sagte, er habe ein Automobil in der Nähe stehen mit einem Chauffeur, der ihn in diese Gegend gefahren habe. Dann mußte sich Dorchen auf die gekreuzten Hände der beiden setzen und jedem einen

166

Arm um den Hals legen. So trugen sie sie über die Heide. Ich brachte derweil meines Vaters Spazierstock und seinen Strohhut hinterher.

Am Weg angekommen, wurde Dorchen abgesetzt, und mein Vater schritt eilig von dannen, um das Automobil heranzuholen.

Ohm Thies und wir zwei warteten unter einer Birke am Wegrand und blickten über das Feld, zum Waldsaum hinüber, auf die Birken, die Wacholder und das bräunlichgrüne Heidekraut. Das Sonnenlicht flimmerte und flirrte, die Lerchenlieder kamen von nirgendwo, und es war alles wie immer.

Wir schmiegten uns von beiden Seiten an Ohm Thies.

„Es war so schön bei dir", sagte ich.

„Ich wünschte, wir könnten hierbleiben", sagte Dorchen.

„Ich wünschte, ich könnte euch behalten", sagte Ohm Thies. Dann lachte er wieder. „Und ich wollte euch meine Schnuckenherde hinterlassen nach meinem Tode! Ihr Lausejungens. Donnerschlag."

Dorchen war trotz ihrer Schwäche aufgeregt und merkwürdig lustig. „Wir kommen dich besuchen, Ohm Thies. Jede Ferien. Von Hamburg ist es nicht weit. Der Vater wird es schon erlauben. Dann wohnen wir wieder bei dir im Stall und spielen mit Ida."

„Ach ja", sagte ich. „Das wird der Vater sicher erlauben."

Das tröstete uns etwas. Dann fiel uns unsere Reisetasche ein.

„Da ist Meta drin", sagte ich.

„Was? Donnerschlag, habt ihr da etwa noch ein kleines Mädchen drin versteckt?"

„Düwel ook!" kicherte Dorchen, und ich erklärte, es sei bloß meine Puppe.

„Da hast du deine Puppe mit auf die Reise genommen? Aber wie war das denn nun mit dem Zirkus?"

167

„Das ist eine lange Geschichte", sagte Dorchen.

Wir konnten sie Ohm Thies nicht mehr erzählen, denn in einer Sandwolke nahte sich das Automobil. Es war ein vornehmes, offenes Fahrzeug mit einer langen Nase, senfgelb und schwarz, gelenkt von einem passend gekleideten Chauffeur. Mein Vater hatte eine Autokappe angelegt.

Ohm Thies versprach, Ida am Abend unsere Reisetasche mitzugeben, so daß wir sie im Dorf abholen könnten, während Dorchen im Krankenhaus war.

Der Vater drückte Ohm Thies die Hand. „Wir sehen uns noch und reden ganz ausführlich, wenn es Ihnen recht und lieb ist", sagte er. „Vorerst danke ich Ihnen herzlich dafür, daß Sie meine Kinder gehütet haben."

„So etwas ist ja mein Beruf", erwiderte Ohm Thies. „Sie werden mir genug fehlen, und Ida und die Hunde werden auch traurig sein. Aber vielleicht kommen sie einmal wieder zu Besuch zum alten Schnuckenschäfer auf der Heide."

Dann umarmten wir ihn und stiegen mit dem Vater in das mostrichfarbene Automobil, während der vornehme Chauffeur vorn schon die Kurbel herumwarf.

7. Kapitel

Bis wir auf der Landstraße waren, redeten wir nicht. Das Automobil hoppelte auf dem Weg, der feine Sand wirbelte um uns herum. Als wir dann aber glatt und ziemlich schnell dahinrollten, sagte mein Vater: „Was bin ich froh, daß ich euch endlich wiederhabe."

Er saß in der einen Ecke der Sitzbank, Dorchen in der andern, ich zwischen ihnen.

„Wie hätten wir Theo auch sonst ins Krankenhaus gekriegt!" sagte ich.

Und Dorchen: „Ohm Thies konnte ja die Schnucken nicht ganz alleine lassen."

„Ihr seht wirklich aus wie zwei Hütejungen, so braun und abgerissen", meinte der Vater. „Und Krischans alte Sachen sind schon ziemlich mitgenommen."

„Wir haben noch andere Kleider", sagte Dorchen.

„Ich weiß", nickte der Vater, „das Vierländer Sonntagszeug."

Das kam uns richtig unheimlich vor. Woher konnte der Vater das alles wissen?

„Die Kostüme aus dem Zirkus habt ihr wohl nicht mitgenommen. Aber das waren ja Mädchenkleider. Und ihr wolltet Jungen sein."

„Hat Anna das erzählt?"

„Anna? Nein. Onkel Rabe natürlich."

„Und hast du auch mit William und Laura gesprochen?"

„Sie lassen euch grüßen", sagte der Vater.

Er hatte inzwischen den Arm um mich gelegt. „Mein kleines Gretchen", sagte er. Ich lehnte mich an ihn und war glücklich.

Dorchen war noch nicht soweit. Sie drückte sich in ihre Ecke und machte ein sorgenvolles Gesicht.

„Tut die Hand weh?" fragte der Vater. „Fühlst du dich schwindlig?"

„Ja, ein bißchen. Und die Hand brennt und pocht."

„Nun wirst du im Krankenhaus behandelt und neu verbunden, dann wird hoffentlich alles wieder gut."

Dem Vater fiel jetzt etwas ein. „Die werden schön staunen im Krankenhaus, wie meine Töchter aussehen. Ich kann euch ja nicht als Heidejungen ausgeben."

„Sag doch, es ist eine neue Mode in der Kindererziehung", schlug Dorchen vor, und zum erstenmal lachte sie den Vater an – ein bißchen.

Nach jeder halben Stunde lockerte der Vater die festgeschnürte Krawatte um Dorchens Arm, der schwer und taub geworden war. So konnte das Blut wieder durch die Adern. Aber kurz darauf zog er den Verband wieder fest. Zwischendurch erzählten wir, ich von den Schnucken, Vater von zu Hause. Dorchen warf ab und zu ein Wort ein; sie war zu schwach zum Erzählen.

Und richtig unbefangen fühlten wir uns auch noch nicht. Es war doch zuviel geschehen. Wir hatten zuviel erlebt. Der Vater benahm sich eigentümlich. Er schien alles zu wissen und machte uns keine Vorwürfe. Und wir konnten uns nicht erklären, wie er uns plötzlich mitten auf der Heide gefunden hatte.

Die Empfangsschwester im Krankenhaus musterte uns nicht nur erstaunt, sondern mißbilligend. Da erschien ein Herr in schönem Anzug mit goldener Uhrkette, aber ohne Krawatte, der zwei unbeschreiblich aussehende Gassenjungen bei sich hatte und behauptete, dies seien seine Töchter und eine davon sei von einer Kreuzotter gebissen worden.

„Sie sagen, das ist ein Mädchen?" erkundigte sie sich noch einmal, und ihre Augen hefteten sich auf Dorchens Zottelkopf. „Ihre Töchter?"

Dorchen und der Vater wechselten einen Blick.

„Wissen Sie, Schwester", sagte mein Vater, „dieses Kind ist von einer Giftschlange gebissen worden, das ist jetzt wohl die Hauptsache. Es fühlt sich unwohl und muß augenblicklich von einem Arzt untersucht werden. – Wenn man übrigens Helena Angostura Glauben schenken darf, dann ist es die beste Erziehung, die Kinder aufwachsen zu lassen wie die Lilien auf dem Felde. Auf dem Felde wird man staubig, und lange Haare sind dort unpraktisch. Verstehen Sie? Und jetzt einen Arzt, wenn ich bitten darf."

Was der Arzt zu Dorchens Aufzug und der neuen Erziehungsmethode sagte, erfuhr ich nicht, denn ich saß auf einer Bank im Korridor, bis der Vater wieder aus dem Untersuchungszimmer kam. Dorchen hatte ein Gegengift eingespritzt bekommen und sollte zunächst zur Beobachtung im Krankenhaus bleiben; sie winkte mir zu, ehe eine Schwester sie wegführte. Der Arzt hatte die Behandlung gelobt, die Ohm Thies angewendet hatte, und meinem Vater seinen ziemlich ruinierten Schlips zurückgegeben.

Mein Vater mietete uns in einem Gasthof ein, und dort konnte ich mich wenigstens waschen. Aber in Krischans alten Kleidern, die schon soviel mitgemacht hatten, muß ich doch sehr merkwürdig ausgesehen haben, als ich neben dem Vater in der Gaststube bei einem frühen Abendbrot saß; wir hatten beide seit dem Frühstück nichts in den Magen bekommen. Dann kaufte mir der Vater ein Nachthemd, damit ich in den staubigen Kleidern nicht auch noch ins Bett gehen mußte.

Am nächsten Morgen fuhr uns der Chauffeur in das Heidedorf zum Bauern Witt, wohin Ida am Abend vorher unsere Reisetasche heimgebracht hatte. Idas Eltern, die Großmutter, Ida und ihre Geschwister waren alle da, um uns zu empfangen, denn es war bald Mittagszeit. Sie wußten ja schon Bescheid, aber man sah ihnen an, daß sie immer noch darüber staunten, wie die Geschichte von den zwei weggelaufenen Zirkusjungen, die schon abenteuerlich genug gewesen war, sich unversehens in die Geschichte zweier wiedergefundener Stadtmädchen aus gutem Hause verwandeln konnte. Es kam ihnen sicher vor, als spiele sich vor ihren Augen ein Märchen ab, als mein Vater mit der goldenen Uhrkette und ich in den abgerissenen Kleidern miteinander aus einem großen, gelben Automobil stiegen, dessen Tür ein Chauffeur offenhielt.

Ida vertraute mir an, das sei erst das zweite Automobil, das sie in ihrem Leben sähe. Der Vater schlug vor, während er sich ein Viertelstündchen mit Idas Eltern und der Großmutter unterhielt, sollte Herr Sonnenberg, der Chauffeur, Ida und ihre Geschwister ein wenig in der Gegend herumfahren. Ehe unsere Reisetasche eingeladen

wurde, zeigte ich Ida endlich schnell noch meine Puppe Meta, und sie wollte kaum glauben, daß ich den seidenen Unterrock selbst genäht hatte. Sie hielt mich halb und halb doch für einen Jungen.

„Aber Max, aber Max", sagte sie immer nur, und ich schüttelte den Kopf. „Ich heiße Gretchen." – „Und Theo?" – „Der heißt Dorchen." – „Und wieso habt ihr solche Haare?" – „Früher hatten wir genausolche Zöpfe wie du – solche, wie wir als Clownskinder hatten."

Ida lachte und hielt sich die Hände an die Ohren, als ob ihr schwindlig wäre.

Zum Abschied schenkte sie mir einen Kranz aus Margeriten und wilden Rosen, den sie sich am Morgen gebunden hatte. Sie setzte ihn mir auf, alle betrachteten mich lachend und staunend und behaupteten, jetzt sähe ich doch schon ziemlich wie ein richtiges Mädchen aus.

„Wie findest *du* denn, wie ich aussehe?" fragte ich meinen Vater, als wir wieder fuhren.

„Wie mein Gretchen", sagte er.

Nachdem wir Dorchen im Krankenhaus besucht hatten, wo sie sauber gewaschen in einem sauberen Bett liegen mußte und bettelte, wir sollten sie doch gleich mitnehmen, ihr fehle schon überhaupt nichts mehr (aber der Arzt sagte, sie müsse mindestens noch einen Tag im Bett bleiben), fanden wir in unserm Gasthof ein großes Paket vor, das expreß aus Hamburg gekommen war. Der Vater war zufrieden; er erklärte mir, er habe gestern gleich nach Hause telephoniert und Bescheid gesagt, daß er uns gefunden habe. Zu Hause war nur Rosa. Die Mutter, die Großmama, Anna und die Zwillinge hielten sich mit Klärchen in Travemünde auf, denn inzwischen hatte es Ferien gegeben. Der Mutter hatte der Vater gestern ein Telegramm geschickt, so daß nun alle wieder froh sein konnten. Rosa hatte uns gleich von unseren Kleidern und unserer Wäsche eingepackt. Jetzt konnte ich mich wieder wie ein Mädchen kleiden.

Am Morgen zog ich das dünne rosa Kleid mit den kurzen Ärmeln an, darunter einen weißen Unterrock und Mädchenhosen. Rosa hatte auch leichte Sommerschuhe und Wadenstrümpfe mitgeschickt; ich war froh, endlich wieder einmal aus den Stiefeln zu kommen. Zum Schluß kämmte ich meine kurzen Haare so glatt wie möglich und setzte Idas weiß-rosa Blumenkranz auf, den ich über Nacht in der Waschschüssel hatte schwimmen lassen. Er war immer noch frisch. Ich gefiel mir gut im Spiegel. Meinem Vater gefiel ich auch, und sogar Dorchen klatschte in die Hände, als ich sie so im Krankenhaus besuchte. Sie wollte wissen, ob Rosa ihr Lieblingskleid eingepackt habe, das blaue mit den roten Tupfen und roten Bändern am Hals und an den Ärmeln. Das wollte sie gleich anziehen, wenn sie aus dem Krankenhaus entlassen würde.

So saß der Vater am nächsten Tag, als wir im Automobil fuhren, zwischen zwei Kindern, die sich kaum noch von ordentlichen kleinen Mädchen unterschieden – bis auf die fehlenden Zöpfe.

Wir machten einen Ausflug mit dem Vater. Wir besichtigten den berühmten Kalkberg, und der Vater erzählte uns, daß er früher viel höher gewesen sei, und obendrauf habe eine Burg gestanden, seit uralter Zeit. Später war dann ein großer Teil des Berges abgetragen und der Kalk abgebaut worden. Auch von Herzog Heinrich dem Löwen erzählte der Vater und wie es war, als die Lüneburger reich wurden und mit Salz handelten.

„Und die ganze Zeit weideten die Schnucken in der Heide", sagte Dorchen.

Mein Vater glaubte das auch. „Vieles ändert sich auf der Welt, aber manches bleibt sich immer gleich", sagte er. „Hirten und Herden gibt es seit undenklichen Zeiten – fast so lange, wie es Menschen gibt."

Wir aßen Mittag im Garten eines Dorfgasthauses unter

großen Linden. Es war noch immer herrliches, heißes Juliwetter. Wir waren mittlerweile ganz zutraulich geworden, auch Dorchen hatte ihre Scheu, die eine Mischung aus Angst und schlechtem Gewissen war, überwunden. Der Vater war so lieb und vertraulich mit uns, wie wir ihn eigentlich noch nie erlebt hatten. Man konnte ja fast mit ihm umgehen wie mit der Großmama! Zu Hause hatte er nie sehr viel mit uns zu tun gehabt; wir waren eben die Kleinen. Er hatte soviel Arbeit in der Kanzlei, und wenn er daheim war, beschäftigte er sich mit der Mutter, mit Anna und mit den älteren Verwandten.

Nun hatten wir den Vater tagelang für uns allein. Dorchen redete mit ihm, und ich setzte mich so nahe neben ihn, wie es nur ging.

Herr Sonnenberg, der Chauffeur, nahm sein Mittagessen in der Gaststube ein; der Vater hatte ihn für ein paar Stunden beurlaubt.

Das Automobil samt Herrn Sonnenberg gehörte einem Geschäftsfreund meines Vaters, der gerade eine Sommerreise mit der Eisenbahn machte. So hatte er meinem Vater das Automobil gern geliehen und Herrn Sonnenberg dazu, denn ohne Herrn Sonnenberg war das Automobil zu nichts gut. Nur Herr Sonnenberg konnte es in Gang setzen, lenken und so behandeln, wie es nötig war. Wenn er ein Weilchen auf uns warten mußte, etwa während wir Dorchen im Krankenhaus ablieferten, öffnete er die beiden Flügel der langen Motorhaube, zog die Jacke seiner eleganten, sandgelben Uniform aus, legte ölverschmierte Arbeitshandschuhe an und tauchte seine Hände in den Motor.

„Was machen Sie da Schönes, Herr Sonnenberg?" fragte mein Vater.

„Ich reinige die Zündkerzen", antwortete der Chauffeur, und dabei sah er richtig glücklich aus. Sicher hatte er auch heute wieder wichtige und erfreuliche Arbeiten unter der Motorhaube zu erledigen, während mein Vater und wir zwei diese lange Unterhaltung im schattigen Wirtsgarten führten.

Ich stellte dem Vater die Frage. Ich wollte es nun endlich wissen, und mir war so, als könne man den Vater alles fragen, genau wie die Großmama.

„Wie hast du uns denn bloß gefunden?"

Nun hörten wir die Geschichte. Nicht alles, was ich berichten will, erzählte uns der Vater an diesem Nachmittag; manches erfuhr ich später von der Großmama, einiges erst nach mehreren Jahren.

Als wir beide verschwunden waren und mein Brief in der Teekanne gefunden wurde, geriet mein Vater in einen großen Zorn. Alle versuchten ihn zu besänftigen, alle waren glücklich, daß uns – vorläufig wenigstens – nichts Schlimmes zugestoßen war, sondern wir nur wie zwei ungezogene, trotzige Kinder weggelaufen waren. Mein Vater meldete unser Davonlaufen gleich der Polizei, und in diesen Tagen hielten alle Konstabler in Hamburg Ausschau nach uns, aber eben nach zwei Mädchen mit Zöpfen und Mädchenkleidern. Nach einigen Tagen ließ der Vater unsere Bilder mit einer Beschreibung in mehreren Zeitungen veröffentlichen und setzte dem eine Belohnung aus, der angeben könnte, wo wir wären. Inzwischen kriegten sie es zu Hause alle wieder mit der Angst; meine arme Mutter wurde krank davon, und Frau Thoms und Rosa durften ihr nicht mehr die Vermutungen mitteilen, die sie über unser Schicksal anstellten.

Mein Vater wütete weiter vor sich hin. Als Harrys Mutter kam, um sich nach unserem Verbleib zu erkundigen, war er sehr unhöflich zu ihr und warf sie zum Schluß regelrecht hinaus. Dorchen hörte das gern. Noch mehr freute sie sich, als der Vater berichtete, er habe Harry bei der nächsten Gelegenheit verprügelt. „Was hat er gemacht?" fragte Dorchen. „Er hat eigentlich nur frech gegrinst", sagte der Vater. „Er hat gesagt, vielleicht wärst

du zum Zirkus gegangen, weil du so schön balancieren könntest."

Inzwischen kam unsere Karte aus den Vierlanden, aber auf dem Poststempel stand natürlich Hamburg. Jetzt beruhigten sich alle wieder ein wenig; die Großmama meinte, wenn ich so niedlich und naturgetreu Minka habe malen können, könne es uns nicht schlechtgehen. Meine Mutter erholte sich auch. Jeden Abend kamen die Großeltern Neander zu Besuch, und der Großvater hielt eine Andacht im Salon, wo alle beteten, wir möchten doch bald wieder heimkommen.

Mehrmals brachten Leute Mädchen zu unserm Haus geschleppt, die sie irgendwo aufgelesen hatten. Sie hofften, nun würden sie die Belohnung kriegen.

„Wie sahen die Mädchen denn aus?" erkundigten wir uns.

„Schrecklich", sagte der Vater. „Viele waren halb schwachsinnig, sonst wären sie ja gar nicht mitgegangen. Ganz schmutzig und verwahrlost die meisten, und manche machten sehnsüchtige Augen, als ob sie hofften, wir könnten vielleicht denken, sie seien unsere Töchter, und sie behalten."

Die Eltern hatten den Leuten und den Mädchen dann ein bißchen Geld geschenkt. Sonst brachten die Zeitungsanzeigen nichts ein.

Wie mir die Großmama später erzählte, veränderte sich die Stimmung meines Vaters nach und nach. Zuerst war er wütend auf uns beide gewesen, dann wurde er wütend auf alle anderen Leute, zum Beispiel auf Harry und seine Mutter, aber auch auf Fräulein Markus, die höflich anfragte, ob wir überhaupt noch ihre Schule besuchen sollten oder nicht. Zu Onkel Carl sagte er etwas so Unfreundliches, daß der nicht mehr zu Besuch kam. Wenn die Andacht im Salon stattfand, ging Vater aus dem Haus. Beinahe hätte er eines Abends Frau Thoms entlassen, aber die Großmama hatte eine Ahnung und kam trotz ihres Rheumas hinunter in die Küche gehinkt – gerade noch rechtzeitig, um den Vater aufzufordern:

„So, Friedrich, nun sage zu Frau Thoms, daß es dir leid tut, und komm mit mir nach oben."

Keiner im Haus traute sich inzwischen mehr, harmlos mit dem Vater zu sprechen, nicht einmal meine Mutter. Die Zwillinge hielten sich immer vorsichtshalber den Mund zu, wenn der Vater im Zimmer war. Es war ihnen ab und zu einmal etwas herausgerutscht, und dann hatte es ein Donnerwetter gegeben. Anna war zu dieser Zeit bei ihren künftigen Schwiegereltern zu Besuch, die in Schneverdingen wohnten.

„Aha", sagte Dorchen. (Schneverdingen liegt nämlich nur eine kleine Strecke von dem Ort entfernt, wo wir

Anna und Herrn Uhl eines Abends im Zirkus hatten sitzen sehen.)

An dem Tag, als unsere zweite Karte aus Geesthacht ankam – da waren wir schon bald zwanzig Tage fort –, saß unser Vater abends bei der Großmama. (Darüber hat *sie* mir berichtet.) Er las die Karte, auf der nichts stand als: „Uns geht es gut." Wieder war sie in Hamburg aufgegeben. Der Vater lief zuerst in Großmamas Wohnzimmer herum wie ein Löwe, so daß sie dachte, er würde ihre Sächelchen herunterstoßen. Dann setzte er sich hin und trug der Großmama vor, was er schon alles versucht hatte, um uns zu finden. Und fragte, ob sie wüßte, was er denn noch tun könnte. Was würde *sie* denn tun, die Großmama?

Da sagte die Großmama zu ihrem Sohn: „Friedrich, wenn es meine Kinder wären, würde ich sie selber suchen gehen."

„Aber wo? Wo soll ich anfangen?"

„Hier", sagte die Großmama. „Nebenan. In ihrem Zimmer."

Mein Vater verstand ganz gut, was sie meinte. Von nun an ging er jeden Abend nach dem Essen in unser Zimmer und stöberte herum. Sah sich alles an. Wenn er etwas nicht verstand, fragte er Klärchen oder die Großmama. Meine Mutter wollte auch mithelfen, aber Vater bat sie, ihn das ganz allein machen zu lassen. „Vor *mir* ist Dorchen weggelaufen", sagte er. „*Ich* muß sie wiederfinden."

Auf diese Weise entdeckte er alles mögliche, von dem er keine Ahnung gehabt hatte.

„Das Puppenbett ist ja leer!"

„Gretchen hat ihre Puppe eingepackt." (Nicht einmal den Namen meiner Puppe kannte mein Vater.)

Er fand viele bunte Bilder. „Wer hat die gemalt?" – „Gretchen natürlich. Wußtest du gar nicht, wie schön Gretchen malen kann?" – „Aber wo ist ihr Zeichenzeug?" – „Mitgenommen, das Zeichenbuch und die Buntstifte."

179

Er studierte meine Bilder, und die Großmama erklärte sie ihm. Auch das Weihnachtsbild, auf dem Dorchens Boot zu sehen war. Dem Vater war nie ganz klargeworden, *wie* sehr Dorchen sich ein Boot gewünscht hatte.

Er fragte die Großmama und Klärchen aus, was wir so machten, wenn wir zu Hause waren. Er hörte, daß Dorchen auf den Schrank kletterte, wenn sie lernte. Er beobachte Minka, wie sie auf der Buche herumturnte. Er kam ganz von selbst darauf, zu sagen: „Ob Dorchen sich von der Katze hat anstecken lassen, als sie um den Sims balancieren mußte?"

In Dorchens Nachttischschublade fand er den abgeschnittenen Zopf. Darüber konnte Klärchen Auskunft geben. Sie wußte noch genau, an welchem Tag das gewesen war. Sie beschrieb, wie Dorchen sich im Spiegel halb als Jungen, halb als Mädchen gesehen hatte.

„Mit dem großen Taschenmesser hatte sie sich den dicken Zopf abgeschnitten", berichtete Klärchen.

Jetzt erst erfuhr der Vater, daß Dorchen zwei Taschenmesser besaß, wie sie aussahen und wer sie ihr geschenkt hatte.

„Und wo sind diese Messer?"

„Dorchen muß sie mitgenommen haben."

Dann fand der Vater den Aufsatz über das Wattenmeer. Er zeigte ihn der Großmama. „Das ist nicht Dorchens Schrift. Wer hat das geschrieben?"

„Krischan Kröger vermutlich", antwortete die Großmama nach einem kurzen Blick.

Der Vater wußte tatsächlich nicht, wie sehr wir mit Krischan befreundet waren! Er hatte immer gedacht, Dorchen sei nur mit Harry befreundet.

„Krischan", sagte die Großmama, „tat alles für Dorchen. Er hätte sich für sie zerstückeln lassen."

Der Vater zahlte zwar das Schulgeld für Krischan, aber er kannte ihn kaum. „Wann kommt er denn mal?" erkundigte er sich.

„Seit die Kinder weg sind, ist er nur noch ein-, zweimal hier gewesen. Er scheint auch sehr traurig."

Auf diese Weise wurde mein Vater auf Krischan aufmerksam. Er ließ ihn kommen und fragte ihn aus. Krischan war es nicht geheuer; er hatte zu großen Respekt vor unserem Vater. Und als er eingeladen wurde, am nächsten Abend noch einmal zu erscheinen, nahm er an, mein Vater habe nun herausgekriegt, was für eine Rolle er bei unserem Ausreißen gespielt hatte. Er stotterte so verstört herum, daß mein Vater tatsächlich stutzig wurde. Wie aus der Pistole geschossen fragte er den armen Krischan: „Also wo sind sie? Sag's ehrlich, sie sind bei dir. Du versteckst sie. Wo? Auf dem Dachboden? Im Keller? Raus mit der Sprache!"

Die Großmama meinte, Krischan sei *froh* gewesen, daß er nun reden mußte. – Es wurde ein herrlicher Abend in unserem Hause. Alle kamen in Großmamas Zimmer zusammen und hörten von Krischan die Geschichte von den abgeschnittenen Zöpfen, von dem Plan, mich, das Gretchen, mitzunehmen, von der Abfahrt nach den Vierlanden. Alle waren der Meinung, da wären wir noch immer, und nun brauchte der Vater nur zu Tante Geesche zu fahren, um uns abzuholen.

„Aber die zweite Karte kam aus Geesthacht", erinnerte Krischan.

„Ach, das ist nicht weit von Kirchwerder. Die haben sie jemand mitgegeben."

Nach Kirchwerder fuhr mein Vater mit einem Ewer vom Gemüsemarkt aus – genau wie wir. Er war ganz vergnügt, als er abfuhr, und auch schon wieder etwas wütend. Dieses Dorchen! Schleppte noch das kleine Gretchen zur Gesellschaft mit. Zöpfe abgeschnitten! Die Eltern wochenlang in Angst versetzt. Was die Leute *jetzt* schon redeten, was sie erst reden würden, wenn die zwei wiederkämen! Am besten wäre eben doch das Institut in der Schweiz.

181

Der guten alten Geesche verschlug es die Sprache und das bißchen Verstand, als unser Vater plötzlich vor sie trat und nach seinen Töchtern fragte. Sie saß wieder vor dem Häuschen und bündelte diesmal junge Mohrrüben, und auf einmal band sie ihre Tabakspfeife mit den Mohrrüben zusammen. Dabei fiel der glühende Tabak auf ihre Schürze und brannte ein Loch. Der Vater mußte sich neben sie setzen, ihr helfen und alles wieder in Ordnung bringen. Dann bündelten sie beide ein Weilchen Mohrrüben (der Vater lachte ziemlich, als er uns das alles erzählte), und dabei sagte er immer geduldig und freundlich: „Theo und Max Kröger aus Barmbek, Theo und Max, Theo und Max."

Schließlich fing Geesche an zu kichern, zog Vater ins Haus, zeigte ihm unser Bett, dann die Bilder, die ich gemalt hatte, das vom Kater Willi und das von ihr selbst mit der Tabakspfeife. Mein Vater wußte nun Bescheid und amüsierte sich, weil Geesche immer sagte: „Max, die lütte Deern."

Aber wir waren nicht mehr da. Vater fragte und fragte der guten Geesche Löcher in den armen Kopf, doch sie schien selbst nicht zu wissen, wo wir geblieben waren. Sie redete schließlich richtig ungereimtes Zeug – von einem Elefanten sprach sie, auf dem Ziegen herumkletterten. Was sollte sich der Vater dabei denken?

Nun kam er aber auf die Idee, im Reimershof nach uns zu fragen. Wir hörten voll Genugtuung, daß Frau Reimers ihn in die gute Stube geführt und den blitzsauberen Stuhl, den sie ihm angeboten, noch mit ihrer Schürze abgewischt hatte. Sie kam ganz außer sich vor Verwunderung darüber, daß die halbverhungerten, abgerissenen Hamburger Jungen eigentlich die Töchter dieses feinen Herrn gewesen sein sollten. „Kein Wunder, daß sie nicht ordentlich arbeiten konnten", sagte sie. „Der Kleine – ich meine, die kleine Deern – hat allerdings schön gearbeitet."

„Auf einmal", erzählte uns mein Vater, „wurde die Tür aufgerissen, und drei Jungen guckten herein. Frau Reimers sagte, das seien ihre Söhne, von denen hätte sie den Hamburgern das abgelegte Sonntagszeug gegeben, damit sie etwas zum Anziehen für den Kirchgang gehabt hätten. ‚Das ist der Vater von Theo und Max‘, erklärte sie ihren Jungen. Und was glaubt ihr", sagte mein Vater zu uns, „was die machten? ‚Der Senator!‘ kreischte der Kleinste, dann schlugen sie die Tür zu und trappelten weg wie eine Hammelherde."

Dorchen hopste auf ihrem eisernen Gartenstuhl vor Vergnügen.

„Schade, daß du sie nicht auch verprügelt hast wie Harry", sagte sie. „Alle drei!"

Und dann erzählten *wir*, was wir mit den Reimersjungen erlebt hatten.

Frau Reimers hatte auch keine Ahnung, wohin wir so plötzlich verschwunden waren. Aber als Vater fragte, ob sie etwas von einem Elefanten wüßte, auf dem Ziegen herumkletterten, kam ihr etwas in den Sinn. „Das war in einem Zirkus", sagte sie. „Im nächsten Dorf. Ich hab's von der Nachbarin. Die Geesche war da mit den Hamburger Jungen – ich meine, mit Ihren Töchtern."

Bei dem Wort „Zirkus" sah mein Vater, wie er uns erzählte, plötzlich Dorchen vor sich, wie sie um den Sims kletterte.

„Dorchen", fragte er nun, „weshalb bist du mit diesem Zirkus gezogen? Wegen der fürchterlichen Reimersbengel, oder weil du das Seiltanzen lernen wolltest?"

„Wegen der Reimersjungen", sagte ich.

„Wegen der Reiterkinder", sagte Dorchen.

Nun reiste unser Vater wieder nach Hamburg. Er schickte die Familie an die Ostsee nach Travemünde und borgte sich das Automobil samt Herrn Sonnenberg. Dann machte er sich auf die Suche nach dem Zirkus. Die war nicht einfach. Vater mußte herumtelephonieren, wo der Zirkus gewesen war, und hinterherreisen. Dann versuchte er, jemand zu finden, der uns gesehen hatte, aber das gelang ihm nicht. Die Leute erzählten alle von William und Laura; zwei dünne, kleine, blonde Jungen jedoch waren niemandem aufgefallen. So telephonierte der arme Vater, schlief in Gasthofzimmern, ließ sich von Herrn Sonnenberg über staubige Landstraßen kutschieren, stellte wildfremden Leuten Fragen, die ihm selber peinlich waren, und alles führte zu nichts. Er erreichte den Zirkus nicht, und ob wir überhaupt dabei waren, wußte er auch nicht.

„In der Zeit war ich sehr traurig", sagte unser Vater zu uns, die wir im schattigen Wirtsgarten vor unseren Limonadengläsern saßen und mit Spannung lauschten.

Mein Vater erwischte den Zirkus schließlich doch, aber erst, als dieser die Lüneburger Heide schon wieder verlassen hatte. Am selben Abend besuchte er die Vorstellung. Nun fragten wir ihn aber aus! Was Onkel Rabe gemacht habe, ob er ausgezischt worden sei ohne uns, weil er doch nicht komisch sein konnte.

„Ich habe noch nie über einen Clown so lachen müssen", sagte mein Vater. „Erst wickelte der Spitz ihm die Leine um die Füße, dann fing er an zu schimpfen und sich zu schütteln, als ob er Frösche im Kragen hätte, schließlich rannte er hinter jemand her, den es gar nicht gab, und schien furchtbar wütend. Das Publikum war ganz außer sich vor Vergnügen."

„Er hat unsere Nummer weitergespielt – ohne uns", sagte ich. Ich wußte nicht, ob das nun zum Lachen oder eher zum Weinen war.

Wie hatten Vater William und Laura gefallen auf den schwarzen Pferdchen?

„Erstklassig. Bewundernswerte Kinder. So elegant und ungezwungen wirkten sie, als sei es ganz leicht, was sie vorführten."

„Und es ist so schwer", rief Dorchen eifrig. „Schon auf

184

Alberich heraufzukommen ist ein Kunststück. Sie üben jeden Tag, schon seit vielen Jahren."

„Siehst du!" sagte mein Vater und nickte Dorchen ernsthaft zu. Ich wußte damals nicht genau, was er damit meinte.

Am nächsten Vormittag hatte unser Vater dann den Direktor Rabelli aufgesucht. Da war endlich alles herausgekommen, er hatte von unseren Reisen und Erlebnissen gehört, später bei der Probe zugeschaut und lange mit William und Laura geredet. Sie sandten uns herzliche Grüße; William ließ uns melden, einmal sei ihm der Salto von Pferd zu Pferd schon gelungen. Aus irgendeinem Grund schienen sie sich zu freuen, daß wir in Wirklichkeit Mädchen waren. Vater hatte ihnen unsere Adresse in Hamburg aufgeschrieben, und sie versprachen, wenn sie einmal mit einem Zirkus in Hamburg aufträten, würden sie es uns wissen lassen. Inzwischen wollten sie uns ab und zu schreiben und uns mitteilen, wo sie gerade wären.

Wir freuten uns herzlich. So hatten wir die schönen Zirkuskinder doch nicht ganz verloren.

Onkel Rabe sandte uns ebenfalls viele Grüße. Mein Vater sagte, er habe ein wenig wunderlich gewirkt. Er habe meist davon gesprochen, daß er nun bald als berühmtester Clown Europas nur noch in Hauptstädten auftreten wolle. Die dicke, freundliche Frau, der der Spitz gehörte, habe ein trauriges Gesicht dazu gemacht.

„Das war Tante Emil", sagte ich. Mir fielen die Träume ein, die Onkel Rabe gesponnen hatte, wenn er nach einer unserer erfolgreichen Auftritte in seinem Bett lag. Auch mir war traurig zumute.

Vater Rabe erzählte unserem Vater dann von dem Abend, an dem wir verschwunden waren. Die Zirkusleute hatten es alle sehr bedauert, aber sich weiter keine Gedanken gemacht. Wir gehörten eben doch nicht richtig dazu. So wie wir eines Tages aufgetaucht waren, waren wir wieder verschwunden.

Dorchen schien enttäuscht. So gar keine Lücke hatten wir hinterlassen? Nicht einmal Onkel Rabe vermißte uns mit Schmerzen?

„Meine kleinen Mädchen", sagte mein Vater zärtlich. „*Wir* haben euch mit Schmerzen vermißt. Keiner aus der Familie, auch nicht Klärchen, Rosa oder Frau Thoms, konnte in euer leeres Zimmer gehen, ohne Tränen in die Augen zu bekommen."

Vater ließ sich also von Herrn Sonnenberg nach Undeloh fahren, dem Heidedorf, aus dem wir in der schwülen Finsternis weggelaufen waren. Dort wußte niemand etwas von unserem Verbleib, aber viele Leute sprachen begeistert von unserem letzten Auftritt.

„Mir ist es ganz elend im Magen geworden, als ich hörte, wie Dorchen auf dem Gerüst herumgeturnt und -getobt ist", flocht Vater ein.

Was niemand bisher hatte erklären können und was auch der Vater noch nicht verstand, das war der Grund unserer Flucht an jenem Abend.

Der Vater staunte und mußte sehr lachen, als er erfuhr, wir hätten plötzlich Anna mit Herrn Uhl unter den Zuschauern entdeckt und angenommen, sie habe uns erkannt.

„So ein irrsinniger Zufall", sagte er immer wieder. „Sie hat bestimmt nichts gemerkt, sonst hätte sie es uns ja gleich mitgeteilt."

So fuhr Vater in den nächsten Tagen in den benachbarten Heidedörfern herum und fragte die Bewohner aus, bis ihm in einem dieser Dörfer von mehreren Leuten aufgeregt mitgeteilt wurde, die Zirkuskinder seien ganz in der Nähe. Am letzten Sonntag seien sie mit Thies Witt sogar in der Kirche zu sehen gewesen in roten Westen mit blanken Knöpfen.

Nun brauchte Vater nur noch den Witt-Hof aufzusuchen und Ida und ihre Eltern zu fragen. Die wußten zwar nicht genau, wo Ohm Thies diesen Morgen mit den Schnucken hingezogen war, aber doch ungefähr.

„Ich ließ Herrn Sonnenberg also mit dem Automobil auf der Straße zurück und ging einen Heideweg entlang. Ich dachte gerade: In was für eine herrliche Gegend sind meine Ausreißer geraten – dieses Licht – diese Luft . . ., da hörte ich von weitem eine gellende Stimme schreien. Ich erkannte sie augenblicklich. Es war die einzigartige Stimme von unserm Gretchen, genau wie wenn sie zu Hause im Garten schrie: ‚Dorchen, Dorchen, gib acht, gleich fällst du runter!‘“

Das war die Geschichte meines Vaters.

Er bezahlte nun, was wir gegessen und getrunken hatten, und wir gingen aus dem Schatten der Linden hinaus in die Abendsonne. Wir wanderten einen Feldweg entlang und ließen uns schließlich am Wegrain nieder. Es war schön und lieblich um uns her, das Korn war schon gelb, die Amseln sangen in den Büschen, und in einiger Entfernung lag mit vielen roten und grauen Häusern und Türmen die kleine Stadt Lüneburg.

„In der Heide ist es noch schöner“, sagte Dorchen sehnsüchtig. „Ich möchte die Schnucken noch einmal sehen.“

Der Vater versprach, morgen wollten wir Ohm Thies besuchen fahren, gleich früh, und den ganzen Tag bei ihm bleiben. Darauf freuten wir uns.

„Und wie wird es sein, wenn wir heimkommen, so ohne Zöpfe, und alle wissen, daß wir weggelaufen waren?“ fragte Dorchen.

„Ja“, sagte mein Vater, „darüber habe ich auch schon nachgedacht. Sie werden sicher alle über euch zischeln und mit den Fingern zeigen, die Kinder in der Schule, die Nachbarn. Da gibt es nur eins: Das müßt ihr aushalten. Davor kann euch niemand beschützen.“

Das sahen wir ein.

„Aber der gräßliche Harry", schrie Dorchen plötzlich. „Wenn *der* mich auslacht, das halte ich nicht aus!"

„Harry reist mit seinen Eltern im Oktober wieder nach Brasilien", sagte der Vater. „Und bis dahin gehst du ihm aus dem Wege."

Wir blickten nun alle drei ein Weilchen versonnen in die Abendröte.

„Wenn ich heimkomme, kriege ich dann ein Boot?" fragte Dorchen auf einmal.

(War das zu glauben?)

„Bestimmt nicht", antwortete der Vater ruhig, aber seine Augen blitzten zu Dorchen hin.

„Versprichst du mir, daß ich es zu Weihnachten kriege, wenn ich artig bin?"

„Bestimmt nicht!"

„Und wenn ich wieder weglaufe?"

Ich wußte nicht, was ich denken sollte. War dieses Dorchen vollkommen verrückt geworden?

„*Ich* komme jedenfalls nicht mehr mit", sagte ich. „Dann kannst du sehen, wer dir die Hosen flickt oder wer um Hilfe schreit, wenn du in Gefahr bist." Und ich setzte aus vollem Herzen hinzu: „Du dummes Gör!"

Nun lachten die beiden gottlob, und ich konnte mitlachen.

„Wenn schon etwas versprochen werden muß", fing mein Vater wieder an, „dann wollen wir uns immer zweimal unterhalten, wenn wir uneinig sind. Dann können wir am ersten Tag ganz furchtbar böse aufeinander sein und am zweiten, wenn wir es uns überlegt haben, einen Ausweg finden. Wollen wir uns das versprechen?"

Dorchen war einverstanden. Ich war erleichtert. Wenn Dorchen etwas versprach, dann hielt sie es, das wußte ich.

Als wir schon Anstalten machten, zu Herrn Sonnenberg und dem Automobil zurückzukehren, hatte Dorchen noch einen Einfall. Sie umfaßte Vaters Arm und fragte mit verschmitztem Lachen: „Versprichst du mir nicht doch noch etwas, wenn ich dich sehr bitte?"

„Was denn?"

„Daß ich lernen darf, durch die Luft zu fliegen, wenn es in Hamburg Flugmaschinen gibt so wie jetzt Automobile?"

Mein Vater lachte aus vollem Halse.

„Ja, mein wildes Dorchen, das verspreche ich dir gern", sagte er.

Er konnte damals ja nicht ahnen, worauf er sich eingelassen hatte!